U0129133

楊小陽的假期

周 玉 寧 著

文 學 叢 刊
文史哲出版社印行

國家圖書館出版品預行編目資料

楊小陽的假期 / 周玉寧著. -- 初版. -- 臺北市：文史哲, 民 101.09
頁： 公分.（文學叢刊；273）
ISBN 978-956-314-056-6 (平裝)

857.7 101016437

文學叢刊 273

楊小陽的假期

著 者：周 玉 寧
出 版 者：文 史 哲 出 版 社
http://www.lapen.com.tw
登記證字號：行政院新聞局版臺業字五三三七號
發 行 人：彭 正 雄
發 行 所：文 史 哲 出 版 社
印 刷 者：文 史 哲 出 版 社
臺北市羅斯福路一段七十二巷四號
郵政劃撥帳號：一六一八〇一七五
電話886-2-23511028 · 傳真886-2-23965656

實價新臺幣二四〇元

中華民國一〇一年（2012）九月初版

ISBN 978-956-314-056-6 08273

楊小陽的假期

目　　次

楊小陽的假期之植物島

第一章　誰是楊小陽

楊小陽是一個 10 歲的男孩，和爸爸媽媽一起住在東海邊上的一個小漁村裏。他的爸爸叫楊大海，媽媽叫王海秀，反正都和海有關，因為他們兩人都是漁民的後代。楊小陽的爺爺奶奶、姥姥姥爺都是漁民。爸爸媽媽出海打魚的時候，楊小陽就跟著爺爺奶奶一起在小漁村裏生活，或者他有時還跑到姥姥姥爺住的另一個小漁村玩兒。

既然楊小陽的爸爸媽媽的名字都和海有關，楊小陽的名字也該和海有關啊，怎麼看上去一點兒關係也沒有呢？告訴你吧，楊小陽的名字和海關係可大啦。

楊小陽的媽媽王海秀是個又聰明又能幹又勤勞的女人，什麼織魚網、打魚、游泳、潛水、撈海菜都是她的拿手好戲，她還能用打來的魚做出一桌子味道鮮美無比的全魚宴。她平時總是忙個不停，很少休息。10 年前，楊小陽還在王海秀的肚子裏沒出生的時候，王海秀也是像平時一樣地幹活。有一次，楊小陽的爸爸楊大海又要出海打魚了，往常都是王海秀和他一起去，兩人搭個伴兒，也有個幫手。這次，楊大海看王海秀懷著孩子，行動有些不便了，就想讓王海秀留在家裏，一個人出海。可王海秀怎麼也不放心，說反正醫生說生孩子還有一個月呢，不如兩人一起去了。楊大海拗不過王海秀，就說這次不出遠海了，就在近海打打魚算了，兩天就回來。

楊大海和王海秀出海的時候，天氣出奇得好，天高雲淡、陽光普照、大海上波光粼粼。正是五月天，海風吹在身上有一股暖暖濕濕的感覺，王海秀便覺得有點懶洋洋的。他們打魚也出奇得順利，一網下去，滿滿的都是黃花魚，黃花魚市場上正賣得貴，楊大海樂得合不攏嘴，王海秀也忙著幫楊大海把魚往魚倉裏倒。楊大海抽了一支煙，又撒下一網，拉上來又是一網活蹦亂跳的黃花魚，楊大海樂得笑出了聲，招呼王海秀幫忙倒魚。王海秀的腰開始酸脹起來，肚子開始疼了。倒完魚，王海秀就對楊大海說：

“大海，我的肚子有點疼，是不是咱們的寶寶快出世了？”

楊大海正高興著準備撒下第三網魚，一聽就有點急：

“醫生不是說一個月以後孩子才出生嗎，它怎麼這麼著急呢！咱們趕緊返航吧。”

楊大海扶著王海秀來到船艙，打開毛毯，讓她躺在上面，就到外面的倉面上轉舵返航了。海面上開始起風，天也漸漸黑了下來。楊大海急得趕緊加大馬力，船突突地在海面上穿行。

天完全黑了下來，風越來越大，巨浪也排山倒海般地湧來，船行進的速度慢了下來。楊大海掌著舵急得滿臉大汗，因為海浪太大，他只能掌舵把好船的行進方向，不能進船艙照顧王海秀。

海風刮了一夜，到凌晨時分才漸漸平息下來。船行進得平穩了，楊大海把舵擺好，進船艙照看王海秀，王海秀已是滿頭大汗。楊大海幫王海秀擦了汗，掖好毛毯，自己也休息起來。

天濛濛亮的時候，一個男嬰哇哇大哭著出世了，楊大海和王海秀看著這個臉紅撲撲的嬰兒幸福得笑了。楊大海走出船艙，點上一支煙，向海面望去，海面風平浪靜，一個紅彤彤的大太陽跳出了海面，天邊紅霞燦爛，楊大海腦子一動便回艙對王海秀說：

"這個孩子臉紅得像太陽，我看就叫楊小陽吧。"

王海秀說："這個名字真好，我喜歡。"

一個叫楊小陽的孩子就這樣誕生了。

第二章　海邊的楊小陽

楊小陽出生後的日子是快樂的。爸爸媽媽出海就將他帶在身邊，漁船就是搖籃，海浪是搖籃的推手，海風就是推手的風帆。楊小陽躺在大海的懷抱中，享受著海浪的推搖，吸吮著海風的鹹腥，漸漸地長大了。

楊小陽長成了一個可愛的小男孩，有一顆圓圓的大大的腦袋，臉蛋兒紅撲撲的，就像他出生時一模一樣。大腦袋下面是細瘦的長脖子，扭來扭去很靈活，細脖子下面是細瘦的身子和長胳膊長腿，跑起來又快、跳起來又高，游起泳來像海豚一樣飛快，連他的爸爸楊大海都趕不上他，他的爸爸媽媽就管他叫“小海豚”。這個名字真形象，又好聽又好記，爸爸媽媽一叫，他的爺爺奶奶姥姥姥爺也這麼叫他了，很快，他的老師同學也這麼叫他了，再後來，全村人都這麼叫他了。

楊小陽在海上出生，又在海邊長大，對海裏的一切他都很好奇。媽媽去撈海菜他跟著，當起小幫手來可不含糊，不過他畢竟還是小孩子，撈一會兒他就跳到海裏去游泳追小魚玩了，常常是媽媽撈完海菜，他還沒上岸呢。常常要媽媽大聲喊著：“小海豚，快回家吧！”他才跳上岸來，回家和爸爸媽媽煮一鍋美美的海菜湯吃。

海裏還有很多的珊瑚礁，楊小陽游泳時喜歡圍著珊瑚礁兜圈子，幾十個圈子兜下來他都不累。偶爾，游泳時會碰上幾隻海豚，這可是楊小陽最快樂的時候了，他會跳到海豚的背上，騎著海豚像箭一般地在海裏穿行很遠，海豚則會像好朋友一樣再把他送回岸邊。

有時，楊小陽會潛水，海底世界可真奇妙，五顏六色的珊瑚，大大小小的魚兒，黑黑的長著刺的海參，岩石上的花斑鮑，海底生物可真多啊!一條條長身鰻魚遊來蕩去，海藻在水中漂浮著，戴著潛水鏡的楊小陽眼睛都不夠使的。但楊小陽畢竟不是魚，他還得返回水面，不然他可真願意永遠住在水下，永遠和魚們做朋友。

清早，楊小陽常常到海邊，坐在礁石上看日出。楊小陽從小就聽爸爸媽媽講過自己出生時的情景，知道自己名字的來歷，每當他看到一輪圓圓大大紅紅的太陽在萬道霞光中跳出水面，他就癡癡地想：這太陽多親切啊，它是不是一生都會照拂自己的守護神呢？

楊小陽就這樣在海邊過著自己快樂而無憂的日子。可是海卻是變化無常的，颱風刮來的時候，一排排巨浪狂擊著海岸發出巨大的濤聲。楊小陽看到這樣的海風和海浪，就覺得大海又是一個古怪的精靈，專門要製造一些麻煩，是不是海的那邊有一些希奇古怪的東西呢？是不是它們在攪起這些巨浪呢？自己什麼時候能夠看到這些希奇古怪的東西呢？楊小陽這樣想著的時候也就 10 歲了。

第三章　楊小陽在學校

楊小陽已經上小學四年級了。學校就在他住的漁村裏，班裏有十幾個孩子，都和楊小陽一樣大，都是十歲左右。

猴蛋和楊小陽最要好，楊小陽長著一副長胳膊長腿，猴蛋卻是短胳膊短腿圓身子，他也是個小男孩，全名叫王小建，猴蛋只是他的小名，先是他的爸爸媽媽叫他猴蛋，後來別人也跟著叫他猴蛋。王小建家和楊小陽家住的不遠，兩人上學就一起去，放了學不是王小建到楊小陽家一起寫作業，就是楊小陽到王小建家一起寫作業。在學校兩人是同桌，上課一起聽課，下課一起玩耍。

班上的同學幾乎都是楊小陽的朋友，海妮也經常和楊小陽、王小建一起玩。海妮是個小姑娘，長得挺好看，瓜子臉、白皮膚，柳葉眉、大眼睛，鼻子尖上還點綴著幾粒小雀斑。她一著急，眉毛就會豎起來，活像戲曲裏的人物。楊小陽和王小建就愛逗海妮著急，好看她豎眉毛。她一豎眉毛，王小建就手搭涼棚，像戲裏的孫悟空一樣四處張望，楊小陽則伸著長脖子直拍手。

楊小陽最喜歡上語文課，因爲上語文課的女老師——張老師剛剛大學畢業，跟楊小陽他們玩得可好了。張老師又年輕又漂亮，上課又幽默又生動，最受班上的同學歡迎。上課的時候，楊小陽總是伸長了脖子，眼睛瞪得圓圓的，老師一提問，他就把手舉得高高的，希望老師問他。問題回答對了，他的圓臉蛋就興奮得更紅了，問題回答錯了，他就垂下長脖子、耷拉下腦袋。但不管他回答得對錯，張老師總是彎起她的月亮眼，笑眯眯地看著他說："楊小陽同學積極回答問題，應該表揚。"楊小陽就更喜歡張老師了。

學校裏也有楊小陽不喜歡的同學，比如外號"圓球"的小胖子張小蟹就喜歡指手畫腳，總愛挑鼻子挑眼。他喜歡說怪話，幾乎沒有什麼事是他不能說的。楊小陽長胳膊長腿，打籃球的時候總會扣籃，楊小陽一扣籃，張小蟹就說："哪兒來的長臂猿哪，胳膊這麼長。"楊小陽最不愛聽他這句話，就說："哪裡的氣球吹足氣，飄來了。"張小蟹知道說他胖，就會揮起他的小胖拳頭來打楊小陽，楊小陽總是一閃就躲過了，氣的張小蟹直撅嘴。張小蟹還愛說老師的怪話，比如，他總是說張老師笑起來像桃子，楊小陽就覺得不應該說老師是桃子，太不禮貌了，就氣他說："你像個圓球！"張小蟹又揮著他的小胖拳頭打過來，楊小陽又是一閃躲過了。反正，張小蟹在楊小陽面前總是占不到便宜。

張小蟹還愛欺負同學，他喜歡揪海妮的辮子，疼得海妮直叫，這時候，楊小陽和王小建就會一起過去將張小蟹推開，安慰眼淚汪汪的海妮。放學的時候，他們還會叫上海妮一起去寫作業。

楊小陽在學校裏很開心，在張老師面前他是個好學生，和王小建在一起的時候他覺得自己有個好朋友，在海妮的面前，他覺得自己有時候像個騎士，碰到張小蟹他覺得有種優越感。總之，他在學校沒有什麼過不去的事情。所以，他也就很願意上學。

第四章 楊小陽的爺爺奶奶、姥姥姥爺和小表弟

楊小陽平時和爸爸媽媽、爺爺奶奶住在海邊的小漁村裏，他的爸爸媽媽是漁民，爺爺奶奶也是漁民。他的爺爺叫楊樂魚、奶奶叫方彩彩。

爺爺打了一輩子魚，皮膚被海風吹得黝黑，臉上佈滿一道道的皺紋，爺爺雖然年紀大了，可是還有一口雪白的牙齒，笑起來露出一口白牙，和佈滿皺紋的黑臉一對比，黑白分明。

奶奶織了一輩子魚網，兩隻手磨出了一個個老繭，摸上去又硬又糙。楊小陽小的時候，奶奶就用這雙手為楊小陽做衣服、洗衣服，煮魚湯、熬小米粥。楊小陽就穿著奶奶做的衣服，喝著奶奶煮的魚湯、熬的小米粥長大了。

楊小陽的姥姥姥爺也都是漁民，他們住在離楊小陽和爸爸媽媽、爺爺奶奶住的小漁村不遠的另一個漁村裏。姥爺叫王笑魚、姥姥叫施善芳。姥爺的臉上也被海風吹得黝黑黝黑的，臉上佈滿一道道皺紋，姥姥的手也因為織魚網、幹活而磨出一個個老繭。小的時候，楊小陽經常被媽媽抱到姥姥姥爺家玩，姥姥喜歡給楊小陽做又圓又白又鮮的魚圓湯，楊小陽小肚皮吃飽了，就會在姥姥家的院子裏跑來跑去，追得姥姥家的蘆花雞咕咕叫。這時候姥姥就會出來把楊小陽抱回屋，給他一個煮熟的紅雞蛋，楊小陽便把雞蛋放在小方桌上

轉著玩兒，轉累了再把它吃掉。

楊小陽喜歡到姥姥家玩，因爲姥姥家不僅有蘆花雞，還有一個只比楊小陽小一個月的小表弟遙遙，是楊小陽舅舅舅媽的孩子。遙遙有一對烏黑的大眼睛，說話細聲細氣的，有點女孩子氣，楊小陽管他叫“遙遙崽”。遙遙崽總愛跟在楊小陽的屁股後面轉來轉去，楊小陽走到哪裡遙遙崽就跟到哪裡，楊小陽追雞，他跟在後面咯咯叫；姥姥給了楊小陽紅雞蛋也得給他一個，他也學楊小陽的樣子轉著雞蛋玩。和遙遙崽在一起，楊小陽覺得自己多了一個小尾巴。

兄弟倆長大了，遙遙崽也不再追在楊小陽的屁股後面玩，而是喜歡自己拿著小畫板畫畫，畫雞、畫魚、畫房子、畫海邊的礁石。楊小陽來了，他就讓楊小陽搬個小板凳坐著，然後自己畫他。他畫的楊小陽臉蛋紅撲撲的，脖子很細，總是笑眯眯的。楊小陽坐在小板凳上時間長了就打瞌睡，可遙遙崽還是把他畫得笑眯眯的。遙遙崽畫完了給楊小陽看，楊小陽滿意了就拍拍遙遙崽的肩膀，表示友好；楊小陽不滿意了就拿起畫筆自己在畫板上塗改，有時候改來改去反而把畫上的自己改成一個大花臉，逗得遙遙崽直樂。

等遙遙崽畫夠了楊小陽，他們倆就會一起到海邊去游泳、挖蛤蜊，海邊的蛤蜊很多，一會兒功夫他們就會挖好一小籃，然後兩人就到海水裏嬉戲。遙遙崽遊得比楊小陽慢多了，楊小陽老是鑽到他的身子底下嚇唬他，遙遙崽一開始很害怕，時間長了就習慣了，逐漸地游得也快起來，兩個人就在水裏打水仗。玩累了兩人就上岸，拎著挖好的蛤蜊回家。到了家，姥姥施善芳就會給他們煮鮮香的蛤蜊湯。兩人喝得小肚子脹鼓鼓的，然後就一起躺到床上聽姥姥講故事。姥姥的故事很多，一個又一個地講，兩人聽著聽著也就睡著了。

楊小陽經常去姥姥家。楊小陽的舅舅王二海和舅媽祁采妮（也就是遙遙崽的爸爸和媽媽）這幾年離開小漁村到城裏打工，他們回來的時候，總是給遙遙崽和楊小陽帶回各種五顏六色的好吃的和好玩的。每當他們回來的時候，姥姥就會將楊小陽叫來和遙遙崽一起分享好吃的。楊小陽很願意到姥姥家來。

第五章　一隻小海龜

楊小陽放暑假了，除了到姥姥家和遙遙崽玩兒，就一天到晚和王小健在海邊呆著，游泳嬉戲或者幹著別的什麼。一天，王小建和爸爸媽媽一起去城裏賣魚去了。楊小陽只好一個人到礁石上看日出了，太陽出來，天氣出奇得好，海波如鏡，霞光萬道。楊小陽看了一陣覺得有些懶懶的，便走下礁石，沿著海邊走去。突然，他看到海水裏浮出了一隻小海龜，正慢慢地向海邊游來。楊小陽向著小海龜游來的方向走去。

小海龜遊上岸，爬到了楊小陽的腳邊，伸出它的小尖腦殼，望著楊小陽，開口說話了："早上好，楊小陽。"

楊小陽又驚異又害怕，海龜怎麼會說話呢？而且它怎麼知道自己叫楊小陽的呢？

小海龜好像看透了楊小陽的心思，又開口說道："我不光知道你叫楊小陽，我還知道你叫小海豚呢！你別怕，我是太陽公公的使者，專門要帶你去看你想看的東西的。"

楊小陽不那麼緊張了，問道："你是太陽公公的使者？我怎麼相信你呢？"

小海龜說："你看，我和普通的海龜不一樣，我會說話呀，我還會很多神奇的本領呢。"

楊小陽說："你還會很多神奇的本領？能讓我看看嗎？"

小海龜說："行，我會變身，先變幾樣給你看看。"說著，一縮小腦袋不見了，一隻黑色的橡皮艇出現在楊小陽的面前。楊小陽往上一跳，一屁股坐下去，橡皮艇，“喲 —— 一”的一聲叫了起來，“輕點，你弄疼我了。”楊小陽拍拍橡皮艇：“好的，好的，能到海上兜一圈嗎？”

楊小陽的話音剛落，橡皮艇就“噌”地一下浮到海面上，飛快地向海裏駛去。五分鐘不到，一大圈兒就兜回來了。楊小陽剛跳下橡皮艇，它就不見了，小海龜又出現在他的面前，伸著腦袋望著他。

楊小陽覺得神奇極了，問：“你還會變什麼？”

小海龜晃晃小腦袋，得意地說：“我會變的藏在你的腦子裏呢。”

楊小陽覺得很奇怪：“什麼意思啊，怎麼會藏在我的腦子裏呢？”

小海龜伸伸小尾巴，說：“當然啦，你只要腦子裏一想，小海龜快變個什麼出來，我就會變個什麼的。”

楊小陽伸伸舌頭說：“有這麼奇妙嗎？鬼才信呢！那你豈不是比怪物還奇怪嗎？”

楊小陽剛想到怪物，小海龜就不見了，一隻光頭暴眼，青面獠牙的巨大怪獸出現在楊小陽的面前。甕聲甕氣地說：“主人，你要我做什麼？”

楊小陽不像一開始那麼害怕了，懷著試試看的心情說：“我還沒吃早飯呢，你能給我變一些好吃的嗎？”

怪獸又甕聲甕氣地說：“好吧，主人。”一眨眼功夫，一大盤美味的海鮮匹薩和一大碗熱氣騰騰的海鮮湯就擺在了楊小陽的面前。

楊小陽沒見過批薩，就問怪獸：“這是什麼？”

怪獸甕聲甕氣地說：“批薩，主人。這是我從外國給你弄來的。”

楊小陽拿起一塊來，放在嘴裏一嚼，可真是味美無比，和姥姥給他烙的蔥油餅一樣好吃，味道卻截然不同。楊小陽一口氣吃完了批薩，喝完了湯，撐得肚子溜圓。抹抹嘴對怪獸說：“好了，給我弄張躺椅來吧，我要曬曬太陽、休息休息。”

一張白色的亞麻布躺椅立刻擺在了楊小陽的面前。

陽光隨著海風吹曬到楊小陽的身上，楊小陽渾身懶洋洋的，迷迷糊糊地快睡著了，就聽一個聲音吹到了他的耳邊：“楊小陽快醒醒，快醒醒。”

楊小陽衝著聲音的方向側過身，睜眼一瞧，原來是小海龜在叫他呢。他懶懶地應道：“我困著呢，你叫我做什麼？”

小海龜晃晃小腦袋，神秘地說：“你想不想見識一下與你平常的生活不一樣的世界？”

楊小陽有些醒了，問：“什麼不一樣的世界？”

小海龜晃晃小腦袋眨眨小眼睛，輕聲細語地說：“就是動物植物會說會動的世界啊。”

楊小陽一下驚醒了，脫口而出：“什麼？動物植物會說會動？那這個世界會成什麼樣子呢？”

小海龜笑了：“你去看看不就知道了，那個世界也滿有趣的呢，有植物島、動物島、水晶島。如果你去旅行，你會有一些神奇的經歷的，你想不想試試呢？”

楊小陽的好奇心被小海龜調得高高的。他撓撓頭嘟囔道：“這個地方在哪兒？我怎麼個去法呢？”

小海龜得意地說：“就在海那邊的幾個島上，至於咱們怎麼去你就不用操心了，我自然會帶你去的。”

楊小陽猶豫了：“可我還沒和我爸爸媽媽說呢，要是晚上他們見不到我回家，他們會著急的。”

小海龜鬆了口氣：“這個好辦，我有太陽公公教我的時空擴壓法，你在那邊呆一個星期，只相當於這裏的半天，我保證你寬寬鬆鬆地遊歷完那幾個島，晚上呆在家裏和爸爸媽媽吃晚飯。”

楊小陽有些興奮了：“你說的可是真的？”

小海龜認真地說：“當然是真的了。”

楊小陽有些高興：“那我能帶我的小表弟和同學去嗎？”

小海龜搖搖頭：“不行，它們只邀請了你一個人。”

楊小陽有些遺憾，但還是很想去，便對小海龜說：“在海那邊的島上，那咱們得坐橡皮艇去啊。”

話音剛落，小海龜又不見了，先前的黑色橡皮艇就出現在楊小陽的面前。楊小陽遲疑了一下，還是坐了上去。

橡皮艇跳到了海面上，箭一般地向海那邊駛去。

第六章　奔向植物島

橡皮艇疾駛在波光粼粼的海面上，一會兒就駛向了海的深處。楊小陽坐在上面平穩得就像坐在陸地上一樣。

楊小陽覺得離開海邊已經有一會了，不放心地拍拍橡皮艇說："你能保證我兩個小時後回到家裏嗎？"

橡皮艇尖聲尖氣地說："你放心，自從你上了橡皮艇的一刻時空擴壓法就開始起作用了，咱們現在已經按另一個世界的時空計演算法計算時間和距離了。這裏離你海邊的家已經有幾萬海哩，而按你家裏的計演算法只有幾秒鐘。"

楊小陽一聽就有點不踏實，離家這麼遠了，他還是第一次離開爸爸媽媽走這麼遠。七月的太陽熱辣辣地照在海面上，楊小陽的額頭沁出了汗珠，口舌有些乾燥，他想要是有瓶飲料喝就好了。這樣想著，一瓶冰涼的橙汁就擺在了楊小陽的膝頭。楊小陽打開喝了幾口，涼涼爽爽好舒服。楊小陽咕嘟咕嘟喝完了，抹抹嘴伸了個懶腰。他抬眼望去，海天茫茫，與他平時出海看到的大海與藍天沒有什麼異樣，心想：這個時空擴壓法可真好，一點感覺不到就已經幾萬海哩出來了，怎麼一點也看不到小海龜所說的另一個世界的痕跡來呢？

這樣想著，遠處的海平面上就現出一個島嶼的輪廓，影影綽綽的，似乎被一層濃密的樹木植物所覆蓋。橡皮艇尖著嗓子說："楊小陽，坐穩啊，前面就是你這次旅行的第一站

— 植物島了。”

楊小陽有些興奮，挺直了胸，雙眼緊盯著遠處的小島。他太聚精會神了，連一隻白海豚躍出海面也未察覺。白海豚貼著橡皮艇滑行，用雙鰭拍起了一排浪花，濺到了楊小陽的身上。楊小陽扭頭看到了白海豚，笑了：“嗨，是你呀！下午好！”

白海豚晃晃腦袋，從它那尖尖的嘴巴裏發出一種顫顫的尖音：“你好，楊小陽，歡迎到植物島度假。我將護送你到岸上。”

楊小陽迎著海風，愉快地說：“好啊，謝謝你。你來自植物島嗎？”

白海豚用它那顫顫的尖音回答：“我是植物島、動物島、水晶島的守門人，只有看到我你才能進入這三個島。只有我護送你，你才能不被海上的夜叉干擾，順利登島。”

楊小陽有些驚奇：“你是守門人？多謝你來護送我。”

白海豚點點頭：“不客氣啦，你是太陽公公的客人，我會好好保護你的。”

楊小陽才感覺到，原來這次旅行並不像他一開始感覺到的那樣平靜，可能會遇到一些麻煩，便問：“夜叉是什麼？它們危險嗎？”

白海豚擺擺他的雙鰭，道：“別害怕，他們只是一群海上的怪物，專門對要到島上來的遊客興風作浪。但只要我一出現，它們就會嚇跑的。”

楊小陽有些好奇，問：“它們爲什麼怕你呀？”

白海豚“咿 — ”的一聲長鳴，慢悠悠地說：“它們怕我的叫聲啊，我的叫聲能發出一種刺痛它們腦神經的電波，我一叫，它們就頭痛無比，自然就嚇跑啦。”

楊小陽拍拍手：“太好了，有你做我的保護神，我就不怕了。”

白海豚往前一躍，遊到了橡皮艇的前方。

遠方的植物島也越來越近了。

第七章　植物島的歡迎式

橡皮艇駛到了植物島的海岸，楊小陽的眼前呈現出一片銀色的沙灘，碎玉般的碧浪拍擊著這片沙灘，發出“嘩嘩”的聲響。

橡皮艇就要靠岸了，岸邊的浪頭上忽然冒出了一長排的褐色小腦袋，圍繞著沙灘，形成一排褐色網牆。白海豚尖著嗓子對楊小陽說：“吶，植物島到了，這些就是植物島的海藻衛兵。”

楊小陽有些擔心：“它們擋在那兒，我們怎麼上岸呢？”

白海豚又尖著嗓子朝海藻衛兵們喊道：“太陽公公的客人楊小陽來參觀植物島了，請不要阻擋他。”

說話間，只見褐色網牆迅速退去，橡皮艇跳到了岸上，楊小陽跳下了橡皮艇，回頭向海邊的白海豚招手。

白海豚尖聲尖氣地說：“楊小陽，我的任務完成了，我回去了。”一眨眼，就不見了蹤影。

楊小陽轉過身，橡皮艇不見了，小海龜卻趴在了他的腳邊。楊小陽彎下腰，拍拍小海龜的腦袋說：“夥計，你可真行啊，一會兒功夫就把我弄到這裏來了。可這人生地不熟的該怎麼辦呢？”

小海龜晃晃腦袋得意地說：“你別急啊，有我做你的嚮導呢。你現在向岸上看吧。”

楊小陽抬頭向岸上望去，蓊蓊鬱鬱的，整個島嶼籠罩在一片躍動的綠色之中。他們踩著細軟的沙灘，向著那片綠色走去。

剛走不幾步，一個紅綠的小點一蹦一蹦地向他們跳了過來。沒等楊小陽看清那是什麼，小海龜就熱情地和紅綠小點兒招呼起來了：“你好啊，太陽花侍者，我給你們帶來了一位新客人 —— 來自海那邊的楊小陽。”

那紅綠小點兒跳到了楊小陽的跟前，楊小陽這才看清：原來這是一朵太陽花，紅色的點是它的花朵，綠色的點是它的枝葉。令人奇怪地是，這朵花的花心不是像楊小陽家鄉的那樣長著花蕊，而是長著一隻黑色的大眼睛和一個小嘴巴。太陽花從枝葉下面伸出一雙小手，握了握小烏龜的前爪，然後向楊小陽一鞠躬：“歡迎你，海那邊的客人，現在我帶你們去見我們植物島的老橡樹國王。”

楊小陽嚇了一跳，但還是有禮貌地說：“你們植物島還有國王？我們爲什麼要見它啊？”

太陽花說：“我們植物島的統治者是老橡樹國王，我們的所有事情都由國王陛下決定，所有的客人都要去見國王陛下，剛才，海藻衛兵已經通過電波稟告了國王陛下有客人來，國王派我來迎接你們。”

看到這個有眼睛有嘴巴長著手又會說話的植物，楊小陽心裏既好奇又有些緊張，又聽說要見國王，楊小陽就更緊張了。小海龜好像知道了他的想法，說：“不要緊的，楊小陽，國王不可怕。”

楊小陽說：“那好吧，既然來了，就入鄉隨俗吧。”

太陽花帶著他們走出了沙灘，眼前出現了一條石砌的小徑。楊小陽和小海龜踏上小徑，兩邊地面上平臥著的小草被驚動了，它們跳了起來，聚攏到小徑的兩邊，舞動著它們柔軟的葉條，拍擊著石徑，發出“啪啪”的響聲。這些小草的葉片上都長著一個一個的眼睛和嘴巴，葉片的下面都有一雙小手。小海龜向小草們晃晃小腦袋，不停地打著招呼：“大家好！大家好！”楊小陽則感到新奇極了，這些小草有眼有嘴有手、能跳能動還能說話，真是稀奇。

小徑蜿蜒有幾百米，通向一個足足有兩個足球場大的廣場，廣場的地面是由白色的大理石拼成的，在陽光的照射下熠熠生輝，廣場的正北面有一個褐色的大理石平臺，正中聳立著一株二十幾米高樹幹粗大、枝葉茂密的老橡樹，平臺的兩邊各聳立著三排整齊的小柳樹，而廣場的四周則密密實實地圍滿了五顏六色的各類花朵，花的外側則佈滿了各種高大的樹木。

楊小陽一行走到廣場的邊上，太陽花使者便停下來對楊小陽說：“你們先等一下，我先報告一下國王陛下。”說著，跳到廣場邊的一個黑匣子邊上，用手碰了一下黑匣子的開關，大著嗓子說：“尊敬的國王陛下，我帶來了今天的客人。”黑匣子原來是一個擴音器，太陽花的聲音一下傳遍了整個廣場。

一個蒼老而沉悶的聲音傳了回來：“客人來自何方？叫什麼名字？”

太陽花使者答道：“他叫楊小陽，來自海那邊，是太陽公公邀請的客人，他和他的朋友小海龜等著覲見國王陛下。”

蒼老的聲音再次傳來：“你們既是太陽公公邀請的客人，我要爲你們舉行歡迎式，請楊小陽和你的朋友到我的王座邊上來吧。”

太陽花使者跳到了廣場上，對楊小陽和小海龜說：“來吧，二位。”

廣場實在太大了，楊小陽他們足足花了十分鐘才來到老橡樹國王所在的平臺上。

走近了，楊小陽才看清楚，原來老橡樹的樹幹中間也長了一雙眼睛和一個嘴巴，樹幹中間的兩側，還長著一對粗大的手臂與粗大的手。而旁邊的小柳樹的樹幹中間也長著眼睛和嘴巴和手。楊小陽有些害怕，但還是對著老橡樹一鞠躬：“您好，國王陛下。”

老橡樹國王抖動它的樹冠發出一波如海濤般的聲響，然後嘿嘿笑道：“歡迎你啊，我的孩子。我知道，在海那邊，你們人類能做一切的事情，我們植物不能活動；而在我們植物島就不一樣了，我們植物能做一切的事情，我們也能活動、幹活、唱歌跳舞，而至於你們人嘛，就只能給我們打下手了。今天，我就要你見識見識植物島的歌舞音樂。”說著，跺了一下它腳下的地面，悶聲悶氣地說：“歡迎儀式開始。”

老橡樹的話音剛落，只見廣場周圍圍滿的五顏六色的花朵紛紛跳向廣場，霎那間，白色的大理石地面站滿了紅色的、粉色的、黃色的、紫色的、藍色的……各色花兒。它們按顏色集結，紅色花兒一個方陣，粉色花兒一個方陣，黃色花兒一個方陣，紫色花兒一個方陣，藍色花兒一個方陣……廣場花團錦簇煞是好看。而外側的那些樹木則分成三排環繞廣場。

這些花和樹木都長著眼睛、嘴巴和手。楊小陽心裏有種怪怪的感覺，他弄不清這些植物到底要幹什麼。

只見環繞廣場的樹木躍動起來，發出有節奏的拍擊聲，咚咚作響，如同雄壯的鼓聲。隨著“鼓聲”，廣場上的花兒舞動了起來，它們伸展著自己的枝葉，一會兒向東，一會兒向西，一會兒向南，一會兒向北，前進、後退；它們的花朵也如同跳探戈般搖來擺去。五顏六色的花朵在白色的大理石廣場上一起跳動，就如同一幅會移動的五彩斑斕的巨大水彩畫，非常壯觀。

楊小陽一下看呆了，心想， 這植物島可真不簡單呢，後面還有什麼好戲呢？他低頭看看小海龜，只見小海龜隨著節奏正在搖頭晃腦呢。

老橡樹國王像是看破了楊小陽的想法，又抖動起它的巨大樹冠，發出一波濤聲，然後，悶聲悶氣地說：“孩子們，拿出你們的真本事吧。”

只見樹木們停止了擊打，它們也舞動起自己的樹冠，發出“嘩嘩”、“嘩嘩”的風濤聲，隨著聲音，廣場上的花朵快速地移動著，不一會，由不同顏色的花朵組成的幾個巨大的漢字呈現在楊小陽面前，楊小陽仔細一看，原來寫的是：“歡迎你，遠方的朋友。”

楊小陽驚歎了：“真是太棒了！”

老橡樹又嘿嘿地笑了：“我們植物島還有很多很棒的事情呢，下面就由太陽花使者帶著你們參觀全島。孩子們退下吧。”

很快，花朵樹木又退到了廣場的四周，白色的大理石地面發著熒熒的光，四周一片寂靜。

太陽花使者對楊小陽說：“走吧，我帶你們參觀。”

第八章　植物島博物館

白色大理石廣場的後面是一個不高的斜坡，斜坡被一層綠茸茸的小草覆蓋。太陽花使者跳到斜坡的東南角，跺了跺腳，小草們迅速閃去，露出一個褐色的木拱門。太陽花使者對楊小陽和小海龜說：“這是我們植物島的博物館，就建在這個斜坡裏面。來，讓我們進去吧。”說著，用它的小手觸了觸門腳的一個按鈕，門開了，裏面燈火通明。

楊小陽和小海龜一走進門，門就自動關上了，一個巨大的展廳呈現在他們面前。展廳是圓形的，周圍擺滿了一個個玻璃展櫃。圓形展廳的中央坐著一排姑娘、一排小夥兒，這是楊小陽踏上植物島以後第一次看到人，立刻激動地跑過去打招呼。

可等他來到他們跟前，大聲地說著“嗨”時，那些姑娘小夥兒卻端坐著一動不動，他用手拍了一個小夥的肩膀，生疼生疼的，原來這些姑娘小夥兒是一些做的很逼真的木雕，楊小陽很掃興，便問太陽花使者：“你們植物島上有人嗎？”

太陽花使者擺擺枝葉，不緊不慢地說：“我們植物島上不僅有人，而且他們還是我們島上的第一批居民呢。”

楊小陽奇怪地問：“那怎麼見不到他們的影子呢？”

太陽花使者搖搖花瓣，細聲細氣地說：“這說來話可就長了，得從我們植物島的歷史說起，咱們還是邊看展覽邊說吧。”

太陽花使者帶著楊小陽和小海龜來到圓形展廳入口處的第一個展區，只見玻璃展櫃裏陳列著一些油燈、食盒、瓷器、紡織品等等在自己家鄉的博物館也常常看到的人類生活用品。

楊小陽忍不住問：“這兒也有這些東西啊，它們是誰用過的呢？”

小海龜晃晃小腦袋搶著說：“這還用問，它們是植物島上的第一批居民‘人’用過的啊。”

楊小陽感到很奇怪，又問：“怎麼只見他們用過的東西，不見他們的蹤跡呢？”

太陽花使者慢聲細語地說：“別著急，你會見到他們的。”

小海龜嘿嘿笑了：“這麼快就想念你的同類了。在植物島上你的同類數量可不多呢。”

楊小陽有些急：“他們怎麼了？他們從哪裡來，又到哪裡去了？”

太陽花使者見楊小陽著急了，歎口氣說：“我還是給你說說植物島的歷史吧。你來看大螢幕。”說完，用小手觸了一下展櫃腳下的一個按鈕，牆上的大螢幕一下子亮了起來，一排大大的黑體漢字出現在螢幕上，楊小陽抬頭一讀，只見上面寫著：

> 西元元年，一批大陸人類為躲避戰亂渡海來到植物島。他們建立了“仁國”，首領大仁做了國王。

“仁國還有嗎？”楊小陽問。

太陽花使者垂下枝葉歎口氣說：“仁國早就滅亡了，從西元六世紀起這裏就是由植物統治的植物王國了。”

“那仁國的後裔在哪呢？”楊小陽忍不住又問。

小烏龜拽拽楊小陽的褲腳說：“別著急，聽太陽花使者慢慢說。”

“我先給你講講大仁國王的故事吧。”太陽花使者搖搖枝葉細聲細氣地說。

“大仁國王以‘仁愛’治國，對臣民部下寬厚仁慈，仁國的國民都很愛戴他。他帶領國民開荒種地，出海捕魚，仁國的生活逐漸豐順富足。”見太陽花使者這麼說，楊小陽高興地縮起了他的長脖子，吐吐舌頭說：“大仁國王太棒了！大仁國王太棒了！”

小烏龜晃晃它的小腦袋，尖聲尖氣地說：“別這麼早就高興，後面還有好聽的呢。”

太陽花使者卻伸伸枝葉，向楊小陽做了一個請的姿勢：“咱們再到前面看看。”

緊接著，太陽花使者將他們帶到了一個海豚模型前，楊小陽“哇”地叫了起來：“這不是和咱們在海上見到的白海豚一模一樣嗎？”

“可不是，這就是白海豚的祖先啊，他和大仁國王還有一段故事呢。”小烏龜說。

“我來講給你聽。”太陽花使者說。

“在大仁國王統治的時候，島民們出海時經常滿載而歸，可是有一年，海上出了一隻白海豚，島民們一出海它就興風作浪，不是掀翻漁船，就是咬破魚網，弄得島民沒法捕魚。大仁國王決心制服這隻愛搗亂的白海豚，親自出海了。”

小烏龜見太陽花使者講得不急不忙的，插嘴說：“還是我來講吧。大仁國王來到海上，白海豚又出來搗亂了。海面上波濤洶湧，船搖搖晃晃，大仁國王讓衛兵們把好舵，瞄準白海豚將自己的權杖投了過去，白海豚的腦袋被擊中了，一下昏了過去。”

“大仁國王真棒！大仁國王真棒！”楊小陽讚歎著伸長了脖子，他快成了大仁國王的“粉絲”了。

小烏龜和太陽花使者面面相覷，楊小陽回過神來了，忙問：“那後來怎麼樣了呢？”

太陽花使者接過話頭說：“大仁國王讓人將白海豚拖到岸上，挖了一個大水池養了起來。

白海豚醒過來以後，發現自己被限制在一個小水池中，暴跳如雷，在水池中翻上跳下。大仁國王也不理它，等它跳累了、跳餓了，就讓人給它餵食。白海豚一開始拒絕吃，餓了幾天也就吃了。”

“然後怎麼樣了呢？”楊小陽問。

“然後嘛，白海豚的脾氣越來越好了，居然和衛兵們講起了話。大仁國王經常來看它，有一天，白海豚向大仁國王請求回到海上，並保證不再與島民爲難。大仁國王同意了它的請求，並請它做了植物島的守門人。”太陽花使者解釋說。

楊小陽聽完由衷地讚歎：“大仁國王真了不起啊，那仁國後來又是怎麼滅亡的呢？”

太陽花使者歎口氣：“這都是因爲仁國出了一個暴戾的國王鳴蟬，仁國才敗亡的。”

楊小陽問：“他是大仁國王的後代嗎？”

“是啊！大仁國王活了 120 歲，他治理下的仁國老百姓都生活得可好了。他死後，他的兒子做了國王，兒子死後孫子又做了國王，子孫十幾代都像大仁國王那樣愛護老百姓，仁國也一直平平安安的，沒什麼大事發生。就是到了西元 820 年鳴蟬做了國王，仁國可被他攪成了一鍋粥，他不讓老百姓過日子，天天在島上建遊樂園，遊樂園建成了，就趕著老百姓去玩，老百姓進了遊樂園都變傻了，玩得不肯出來，地也沒人種、魚也沒人捕，老百姓都玩死了，島上的居民大量減少。只有少數堅持不進遊樂園的老百姓倖存了下來，後來鳴蟬國王自己也在遊樂園中玩死了。仁國就滅亡了。”太陽花使者憂鬱地說。

楊小陽很失望，又問：“那植物島後來又怎麼樣了呢？”

太陽花使者有些得意：“後來嘛，就開始了我們植物王國的時代了。”

楊小陽聽得有些累了，轉著他的長脖子開始四處張望。他想：要是遙遙崽和王小建也在這裏就好了，這植物島多新鮮啊，他們要能來見識一下多好。

小烏龜看出了他的心思，趕緊說：“我們到別處看看吧。”

突然，楊小陽被展廳中央的一個巨大的飛碟吸引了，邁開他的大長腿就跑了過去。

飛碟看上去有些年頭了，卻還很乾淨。飛碟有四個艙門，是對稱的，只有對著展廳大門的一個艙門是開著的。楊小陽扒著艙門往裏一瞧，駕駛台的燈還亮著，儀錶盤上奇奇怪怪的數字還能看得見。楊小陽邁開長腿想上去試一試，被小烏龜拽住褲腳攔住。

“這還是一級文物？它是怎麼來的？”楊小陽問。

太陽花使者搖搖花瓣，有些得意地說：“就是它載著我們的祖先從外星球來的啊。”

楊小陽驚奇了：“原來你們是從外星球來的，怪不得你們有眼睛嘴巴呢。你們從哪裡來？什麼時候來的？”

太陽花使者擺擺枝葉，慢聲細氣地說：“我們的祖先來自幾十億光年外的天狼星系。西元 840 年，就在仁國鳴蟬國王死後不久，島上元氣大傷時，一天，一艘閃著銀光的飛碟降落在植物島的海岸邊。島上僅剩的不多的人類跑來觀看，他們看見從飛碟上跳下一些長眼睛長嘴巴會說會跳的植物都嚇壞了。但這些植物們並沒有傷害他們，還跟他們交流起來。不久，我們的祖先就建立了植物王國，一直到現在。”

楊小陽明白了，原來植物島是這麼來的。

他們又繼續看了一些植物標本，楊小陽又累又餓。小烏龜看出楊小陽的餓與累，就對太陽花使者說：“咱們還是先去吃飯吧。”

“我們植物島有個很大的餐廳，我帶你們去。”太陽花使者說。

第九章　植物島餐廳

楊小陽和小烏龜、太陽花使者走出博物館，外面已是中午。他們沿著博物館旁邊的一條小路走到博物館的後面，一個高聳的巨大建築呈現在他們面前。建築是灰色的，玻璃門也是巨大的，楊小陽從來沒有看到過如此巨大的建築，感到很驚奇，心想：這植物島可真是不一般，連建築都如此壯觀。太陽花使者帶他們來到玻璃門前，門自動打開了，他們走了進去。

與楊小陽在自己家鄉看到的餐廳不同，餐廳裏不見餐桌餐椅，只見無數個大的小的噴嘴一排排安在地面上，大噴嘴足有 50 排，每排 100 個，小噴嘴也有 50 排，每排 100 個，加起來足足有 10000 個。看到如此巨大空闊的餐廳，楊小陽好生奇怪，這可怎麼吃飯又吃些什麼呢？

太陽花使者卻興奮得有些花枝亂顫，它對楊小陽和小烏龜說：“對不起，我可要先用餐了。”說完，就跳到一個小噴嘴上面。一股藍色的液體立刻噴了出來，細細地灑在太陽花使者身上。太陽花使者美美的享受著這藍色液體的沐浴，整整有 10 分鐘才跳下來，只見它的枝葉更加翠綠，花瓣更加鮮豔，聲音也響亮了一些。它有些不好意思地對楊小陽和小烏龜說：“讓你們久等了，真不好意思。”

小烏龜連忙說：“沒關係，沒關係。楊小陽沒看過植物島的植物是如何補充營養的，讓他看看也好。”

楊小陽轉著他的長脖子，有些好奇地說：“你們就是這樣‘吃飯’的啊，這些液體是怎麼來的呢？”

太陽花使者擺擺它鮮豔欲滴的綠色枝葉，驕傲地說：“這可是用我們植物島的秘密配方配製的，這配方還是我們的祖先從天狼星系帶來的，我們不是地球上的植物，只能用這些特別配製的營養液補充營養。”

楊小陽更好奇了，問：“這營養液人能喝嗎？”

太陽花使者連忙說：“它們對人沒有毒，但是人喝它一點滋味也沒有。”

楊小陽很失望，嘟囔起來：“那我午飯吃什麼？我可是肚子餓了。”

小烏龜拽拽他的褲腳，說：“你別急啊，自然有你吃的。”

這時從大門外湧進來一大群樹木花草，跳到大小噴頭上來“吃飯”了，它們將楊小陽的視線都遮住了。

太陽花使者見楊小陽有些急，便搖搖它的花瓣，姿勢優雅地跳到營養液噴頭邊上的一條小徑上，說：“你們跟我來。”

小徑直通向餐廳入口處對面的牆，牆體是灰色的，中間有一扇同樣是灰色的金屬門，不仔細看根本看不出來，他們來到門前，門自動打開了，另一間餐廳呈現在他們面前。這間餐廳比剛才的餐廳要小不少，也矮不少，裏面擺著幾十張圓桌子，圓桌子的周圍擺著一圈椅子，像是人類進餐的地方。但是喏大的餐廳還是沒有一個人影。

太陽花使者挑了餐廳中間的一張餐桌，招呼楊小陽和小烏龜：“來，坐這兒。”

楊小陽坐了下來，而小烏龜則不知什麼時候爬到了餐桌上面，太陽花使者依然站在桌角。

楊小陽正奇怪著坐在這空空蕩蕩的餐廳能吃什麼時，只見餐廳裏面的牆打開了一扇小門，一排白衣白帽的人類侍者走了出來。楊小陽興奮極了，這可是他踏上植物島以來看到的第一批真正的人類啊。他跳了起來，迎著人類侍者走過去，大聲說：“你們好！你們是植物島上的人嗎？”

讓楊小陽失望地是，這些侍者只沖他微笑卻不回答他。侍者有六人，三男三女，都二十歲左右，他們每人手上都托了一個大託盤，走到餐桌前擺下了一大堆碗筷碟子以及十幾樣冒著熱氣的菜，就又魚貫走回了小門，小門關閉了，餐廳又只剩下楊小陽、小烏龜和太陽花使者。

太陽花使者對楊小陽說：“我們植物島的人類在工作時是不說話的。”

小烏龜招呼楊小陽：“快來趁熱吃吧，別惦記你們人類了，你還會遇到他們的。植物島的飯菜可有特色了，我可要先嘗了。”

楊小陽的肚子也咕嚕咕嚕叫了起來，便耷拉著圓腦袋回到餐桌邊坐了下來。一股香噴噴的飯菜味襲滿了他的嘴鼻。

小烏龜先朝他身邊的一盤玫瑰紅的炒菜扒拉了一爪子，將一片花瓣樣的東西塞進了嘴裏，嘎吱嘎吱地嚼著，不停地搖著小尾巴。

楊小陽也夾了一筷子那盤菜，一嘗，甘甜清香，好吃極了，不由得又夾了一筷子。

太陽花使者見楊小陽吃得高興，便興致勃勃地說：“你們吃著，我給你們報報今天的菜譜：蜜汁玫瑰花、清炒野菊花、臘烏梅、蒜茸莧菜、清蒸榆錢、柳芽汆豆腐、紅燒筍衣、蘆筍燴蜜瓜、蟹黃南瓜、植物島大拌菜和十菌湯。”

楊小陽心想自己剛才吃的大概就是蜜汁玫瑰花了。這些菜都是植物做的，在海邊生長的楊小陽平時吃慣了魚蝦，吃這麼一桌全植物宴可是第一次。有的菜他平時也吃過，只是家裏做的可沒有植物島的鮮香呢。他又想起了遙遙崽和王小建，真可惜他們不在身邊。不過，楊小陽真地餓了，便大口大口地吃了起來。

楊小陽吃的肚皮溜圓，好奇心又上來了。心想：植物島的植物都是外星球來的，今天吃的可是它們嗎？

小烏龜像是楊小陽肚子裏的蛔蟲，好像看出了他的心思似地說：“我們今天吃的可不是你看到的那些會動會說會跳的植物，我們吃的是植物島專供人類食用的植物，是大仁國王當年拓荒時留下的地球植物。”

小烏龜的話音剛落，餐廳東邊的角門打開了，四個人走了進來。前面是兩個孩子，一個女孩大一些，大約有十一、二歲；一個男孩小一些，大約有八、九歲。後面跟了一男一女兩個成年人。這四個人上身都穿著燈籠服，就是兩頭縮起，中間泡起的樣子，兩隻胳膊露在外面，小男孩的是綠色的，小女孩的是紅色的，兩個大人的是黑色的。他們的下身都穿著黑色直筒褲。

小男孩一眼看到了楊小陽，回頭對那兩個成年人說：“爸爸媽媽，今天的客人是一個小男孩呢。”

楊小陽見小男孩說話了，興奮異常，立刻站起來，迎著他們走去。

小男孩也朝楊小陽跑了過來。他們站到了彼此的對面，同時向對方伸出了手，同時說："你好！"說完，兩人都樂了。

小男孩圓圓胖胖，比楊小陽矮一個頭，楊小陽彎下他的長脖子，說："還是我先來說吧，我叫楊小陽，在海那邊的漁村裏生活，是太陽公公邀請我來參觀植物島的。你們是植物島的居民嗎？"

小男孩點點頭說："我們全家都住在植物島上，我叫若木。"他又指指這時已經走過來的小女孩說："這是我姐姐若花。"

若花瘦瘦高高的，很清秀，也伸出手和楊小陽打招呼："你好！楊小陽！歡迎來到植物島。"

若花爸和若花媽也過來和楊小陽打招呼："歡迎你，楊小陽。"

楊小陽受到若花若木一家的熱情招呼，心裏很高興，走上植物島後不見一個人影的焦慮一掃而光。他有很多問題要問若木，但想了想人家這個時候來餐廳肯定是來吃飯的。便說："你們是來吃飯的吧？"

一說吃飯，若木摸摸肚子說："是啊！我可餓壞了。"

這時若花爸和若花媽挑了挨著楊小陽吃飯桌子的一張桌子坐了下來，招呼說："若花、若木，先來坐下，楊小陽，你也來坐，咱們邊吃邊聊。"

他們幾個人在一張桌子坐了下來，小烏龜和太陽花使者在一邊呆著有點訕訕的，若花爸和若花媽看到太陽花被冷落了，就趕緊說：“太陽花使者，我們和客人聊聊天好嗎？”

太陽花使者回答：“可以。”

正和若木、若花有說有笑的楊小陽，這才想起一直陪著他的小烏龜和太陽花，也趕忙招呼：“小烏龜、太陽花，過來和我們一起聊吧。”

小烏龜和太陽花過來，小烏龜不知怎麼的，一下子就又爬上了桌子，太陽花依然站在桌角。

若花爸和若花媽擊了幾下掌，幾個侍者又魚貫而出，端上了一大盆紅紅的稠稠的粥，一大盤煎得金黃的烤餅和一盤翠綠的拌菜。

若木像是餓壞了，舀了一碗粥就稀裏嘩啦地喝了起來。若花則對楊小陽說：“我也給你盛一碗吧。”

楊小陽連忙搖頭，說：“我剛才吃得太飽了，你們吃吧。”又好奇地問了一句：“你們吃的是什麼東西啊？”

沒等若花回答，小烏龜就插嘴說：“木瓜銀粉粥、黃金瓜餅和拌蘆薈。”

若花媽很親切地對楊小陽說：“既然你吃不下了，就一樣來一小口，嘗嘗味道。”這正中楊小陽下懷。

他拿起小勺，嘗了一口木瓜粥，果然滋味清香甘甜，非常好吃。他又嘗了餅和拌蘆薈，味道也都非同一般，可他實在是吃飽了，只好看著若木狼吞虎嚥。

小烏龜看出楊小陽的心思，得意地說：“怎麼樣，植物島值得一來吧？光吃的就夠不錯的吧？”

楊小陽摸著滾圓的肚皮，有些懶懶地說：“嗯，還不錯。”

正嚼著餅的若木，連忙說：“我們植物島有趣的地方多著呢，下面我和姐姐給你做嚮導。”

聽若木這麼說，有點被冷落的太陽花使者可找到了臺階下，說：“若木，那我就將楊小陽交給你了，你可要好好招待啊。不過，你可要遵守規則啊。”

若花在一邊說：“還有我呢，你就放心吧。”

太陽花使者對楊小陽說：“植物島還有很多有趣的事，就讓若木給你做嚮導吧。祝你玩得愉快。”說完，一跳一跳地離開了餐廳。

若木很快吃完了飯，問楊小陽：“你們都看過什麼？”

楊小陽剛張開嘴，小烏龜就代答了：“植物歡迎式和博物館。”

若木一聽便說：“那好玩的地方你們可沒去呢，我帶你們去吧。”

若花媽在一邊說：“若花，你可要管好弟弟，該去的地方去，不該去的地方可別亂跑。”

若花拉著媽媽的手，說：“放心吧，媽媽，我們會遵守規則的。”

第十章 植物島的小秘密

吃完飯，若木一家帶著楊小陽和小烏龜從他們剛才進來的角門出去。外面依然陽光燦爛，對著餐廳的是一片農田，種著蔬菜瓜果什麼的，和楊小陽家鄉的農田沒什麼兩樣，農田的後面是幾排白牆青瓦的農舍。

若木指著農田和農舍對楊小陽說："你看，這裏就是植物島的人類生活區了，這裏的植物都不會動不會說，是供人類食用的。"

楊小陽恍然大悟，說："原來植物島的植物還是有分別的。"

若花笑道："一種是天外來客，一種是地球植物，區別大了去了。"

楊小陽若有所思地說："和這些天外來客相處，你們習慣嗎？"

若花微笑了，說："從我們爺爺的爺爺的爺爺們開始就習慣它們了，它們來植物島已經有十多個世紀了。我們一出生看到的就是這些會動會說的植物。"

若花爸也插嘴了："我小時侯就習慣了和這些植物在一個島上生活，沒覺得有什麼奇怪的地方。"

楊小陽搖搖他的圓腦袋，說："可我卻從沒見過這樣的植物，我也是生活在地球上的啊。"

若花媽笑了："這你就有所不知了，植物島、動物島和水晶島位於地球大洋的另一維，一般的人類活動是無法接觸這裏的。”

楊小陽很疑惑，問：“既然這樣，當初大仁國王他們是怎麼來到這裏的？”

小烏龜插嘴說：“你不是受太陽公公的邀請才能來這裏嗎？當初大仁國王他們從你們那一維的海邊出發，想尋找新大陸，在海上遇到風暴，船被刮離了你們那一維便來到了這裏。”

楊小陽有些害怕，心想：原來我現在已經來到了地球的另一維了，小烏龜怎麼不早對我說呢？我怎麼回到爸爸媽媽身邊呢？這樣想著，他對小烏龜說：“你可一定要把我送回到爸爸媽媽身邊啊。”

小烏龜尖著嗓子大聲說：“你放心，參觀完這三個島，我就送你回去。咱們有時空擴壓法，我保證你能和爸爸媽媽一起吃晚飯。”

若木安慰楊小陽說：“楊小陽，你可是很幸運的啊，我們這三個島的客人可都是太陽公公精心挑選的，三個月才有一個人造訪，都是像你一樣被秘密送到這裏來的，他們都安全地回去了。”

聽若木這麼說，楊小陽放心了；他又有點興奮，原來自己還是一個幸運兒呀，他在學校裏學過，地球上有幾十億人呢，三個月才有一個人來這裏，一年也就是四個人，自己還真運氣呀。這樣想著，他又開心起來。

看見楊小陽開心起來，若木連忙說：“我帶你去看一個一般客人看不到的地方，裏面戒備森嚴呢。”

若花捂著嘴笑了：“我知道你要去哪兒，你不就是朝思暮想地想上天嗎？”

若花爸急忙說：“若木，去從外面看看就行了，裏面可不要亂闖。”

若花媽也說：“若花，看好弟弟，別讓他亂跑。裏面千萬千萬別去。我和你爸爸要去工作了，客人和弟弟就交給你了。”

若花說：“爸爸媽媽放心吧，弟弟也不是不聽話的孩子，我會提醒他注意的。”

若花爸和若花媽叮囑完了，便和楊小陽、小烏龜道了別，忙工作去了。

楊小陽正奇怪著若木要帶他去哪兒，若木就開口了：“楊小陽、小烏龜，咱們走吧。”

楊小陽忍不住問道：“咱們這是去哪兒呀？”

若木詭秘地笑著說：“你去了就知道了。”

若木在前面帶路，楊小陽、若花、小烏龜在後面跟著，他們順著農田左邊的一條小路向一片樹林走去。樹林和楊小陽在自己家鄉看到的沒有什麼兩樣，這裏的樹木花草都是人類栽種的，都不會說不會動。樹林不大，中間有一條小徑通向另一頭。他們沿著小徑走出樹林，一座高大的金色建築矗立在面前，建築的周圍圍著一圈密密挨著的槐樹，都長著眼睛、嘴巴和手，它們不時來回晃動著，一株長著眼睛嘴巴和手的月季花跳了過來，尖聲尖氣地說：“不要到建築裏面去，這裏可是禁區。”原來，他們已走出了人類生活區，又來到了外星植物的領地。

若花趕忙說：“咱們還是回到樹林裏吧，讓楊小陽看一眼就行了。”

若木很不情願地又帶他們退回到樹林中間的一小片空地中。

楊小陽還沒弄明白怎麼回事，很奇怪地問：“這是哪裡啊？那座金色的建築物裏有什麼？怎麼這麼神秘？”

若花解釋說：“那裏是植物島的秘密工廠，這個島上的能說會動的植物都是從外星球來的，它們上島後就與原來的星球失去了聯繫。現在，它們正想辦法再造一個飛碟，重返外星球。”

楊小陽明白了，說：“原來這是植物們造飛碟的工廠。可是造個飛碟幹嘛這麼神秘呢？”

若花歎口氣說：“它們是想把人類排除在這項活動之外，在植物島，雖然植物與人類相處得還算融洽，但畢竟我們不是一個物種，有地球生物與外星生物之別，彼此之間還是有距離的。重返外星球，是它們最大的秘密，它們不願讓人類參與。”

楊小陽撓撓頭，還是不明白：“我在博物館看到一個飛碟，還很新呢，它們不會乘它回去？”

若木搖著圓腦袋，說：“噢，那個飛碟呀！那是十多個世紀以前的玩意啦，外表看上去新，是因爲植物們總去擦拭它，機械儀錶早就不靈啦，只能擺在博物館當文物啦。不過，爲了造新飛碟，植物們可沒少研究它。經常有植物在博物館畫來畫去的。”

楊小陽這下明白了，原來是這麼一回事。不過，他又有點不明白地問：“那我在博物館怎麼沒看到一個植物、一個人影呢？”

若花笑了：“每次來客人的時候，博物館都是靜場的啊。爲的是讓客人看得更仔細一些。”

楊小陽卻嘟噥道：“對我來說，反而讓我更緊張了一些，我情願裏面有些人、有些植物。”

小烏龜聽楊小陽這麼說，插嘴道：“你這個意見，我一定告訴老橡樹國王。再來客人的時候，可以多一點植物或人陪同。”

聽小烏龜這麼說，楊小陽直點頭，而若木卻在一旁自言自語地說：“可是，我真想看看它們是怎麼造飛碟的啊。”

若花有些生氣地說：“你看你，都快想瘋了，你要是闖了禍，爸爸媽媽可怎麼辦？”

見若花這麼說，若木拉起姐姐的手，說：“好姐姐，別生氣，我不看了還不行？”

聽到若花若木姐弟的對答，楊小陽更好奇了，便說：“我也想看呢，咱們把那座金色建築繞一圈行不行？”

見楊小陽這麼說，小烏龜在一旁說：“我有一個辦法可以進去，而且還不會被發覺。”

若木很興奮：“快說，什麼辦法？”

小烏龜有些神秘地說：“我有隱身術，我變一個會轉動的空心陀螺，你們站進去，我一念口訣，外面就誰也看不見我們了。不過，你們在裏面，誰都不許說話，一說話，法術就破了。而且，咱們要一致對植物們保密，看完出來後，誰都不許對咱們之外的任何一個人說，包括你們的爸爸媽媽。”

若木與楊小陽都高興得快蹦起來了，若花卻有顧慮：“小烏龜，你的法術保險嗎？能保證我們安全地出來嗎？”

小烏龜晃著腦袋很有信心地說：“沒問題，只要你們在隱身期間不說話、不咳嗽，我就能保證你們的安全。”

若木與楊小陽早就迫不及待了，急忙說：“我們保證不說話不咳嗽，你快變陀螺吧。”

說話間，一個能站得下三人的大陀螺出現在他們面前。陀螺一傾斜，若木與楊小陽就急忙爬了進去，他們站在裏面，只露出了腦袋。

若花還猶猶豫豫地不敢進，若木急忙說：“姐姐，快進來吧，不會出事的，我們也不用告訴爸爸媽媽。”

聽若木這麼說，若花便說：“眼見爲實，我得親眼看看隱身術才行。”

若花剛說完，只聽大陀螺發出一種輕微的“喇嘛喇嘛喇嘛喇嘛”的嗡嗡聲就不見啦，看到弟弟和楊小陽不見了，若花有點著急，連忙說：“我信了，我信了，趕快讓我也進去吧。”

若花的話音剛落，就聽見“嗖！”的一聲一個重物落地的聲音，又一陣輕微的“喇嘛喇嘛喇嘛喇嘛”的嗡嗡聲，若花就看見若木和楊小陽在陀螺裏咧嘴笑呢。陀螺又一傾斜，若花便站了進去。

陀螺裏剛好能裝三個人，若花、若木、楊小陽各自面朝外站著，只露出了腦袋，若花和楊小陽個子高點，還露出了脖子。陀螺很穩，外面的著地點雖然是尖的，但裏面卻是平的，他們站在裏面，一點也不覺得是站在一個大陀螺中。三個人記得小烏龜的話，並不敢說話，只聽大陀螺又發出一陣輕微的“喇嘛喇嘛喇嘛喇嘛”的嗡嗡聲就飛離了地面。三人知道外面已經看不到自己了，而他們看外面的東西卻清晰可辨。

大陀螺離地面並不高，輕輕地勻速前進著，沿著林中的小徑，來到了剛才的金色建築物跟前。楊小陽、若木、若花緊張得大氣也不敢出了。可那些長眼睛的植物似乎並沒有發覺他們的存在。大陀螺繞著建築物轉了一圈，尋找著進入的機會。

當他們轉到他們剛才藏身的樹林正對著的一面時，正中的玻璃門打開了，從裏面跳出幾排小草，好象是出來休息的。大陀螺趁機飛到小草的上方，飛進了工廠。小草們卻在嚷嚷：“好涼快的一陣風啊。”而楊小陽他們卻緊張得緊緊抓著陀螺的邊緣。

這是一間極大的工廠操作間，分割成幾個區域。楊小陽他們只看見操作間的正中的區域，一個巨大的飛碟的雛形已經成型了，幾棵叫不出名字的樹正圍著它擦拭呢。

大陀螺沒有朝中間飛去，而是沿著四周的幾個分割區域轉起來。靠近入口的第一個區域是做外殼的，操作臺上，外星玫瑰們正拿著鐵扳手鉚接鋼板。而幾株說不出名字的小樹則負責運輸鋼板到操作臺上。

接下來的第二個區域是做儀錶的，小草們用手夾著卡尺在測量，看它們的認真勁兒，楊小陽心裏感歎了：這些外星植物可真了不起，沒準兒真能造成飛碟重返外星呢。他在海邊的漁村長大，這麼大的工廠操作間還是第一次見，以往只是偶爾看電視的時候，看過人類的工廠，心裏直高興，真是沒白來。

第三個區域是做積體電路的，也是小草們在操作臺上忙碌著，一些叫不出名字的外星花卉在給小草們做助手。看著小草們在那些精密的電路板上忙碌著，楊小陽眼睛都直了，心想：植物們的技術還挺發達的，也擁有先進的電子技術呢。

這麼想著，大陀螺飛到了第四個區域。這個區域的操作臺上，外星花卉們在給一些形如橢圓麵包的塊狀物澆一種透明液體，液體澆到“大麵包”上都滲了進去，一點也沒流到操作臺上，而“大麵包”也一點也沒被泡爛，還是那麼柔滑光潔。楊小陽剛想張嘴問“這是做什麼的”，就想起了小烏龜的再三叮囑：不許說話、不許咳嗽，便閉上了嘴。可就在這時，若木不知怎麼回事，憋不住咳了一聲，若花雖然急忙捂住了他的嘴，卻已經晚了。霎時間，楊小陽、若木、若花被甩出了陀螺，正好被拋在工廠中間大飛碟雛形的旁邊，還沒等他們站起來，周圍就已圍了十幾個外星槐樹守衛，三個人被圍得死死的，二三十只植物眼睛直直地射向他們，十幾張植物嘴巴一起發出聲音：“你們是怎麼進來的？爲什麼進來？”

沒見過這陣勢的楊小陽嚇壞了，若木乾脆“哇”的一聲哭了起來，若花倒是鎮靜些，可是也嚇得說不出話來。

這時，只聽小烏龜在樹圍外面大喊道：“不要難爲他們，是我帶他們進來的。”

槐樹守衛們又一起將小烏龜圍了進來。楊小陽、若木、若花也站了起來，和小烏龜一起被圍住，一個粗壯一些的槐樹守衛，瞪著眼睛像是很生氣地對小烏龜說：“你是我們植物島的朋友，不是不知道這裏不讓人類進來的規矩，怎麼能做出這樣的事情呢？”

小烏龜辯白道：“他們只是好奇，沒有惡意，看看又不妨礙你們什麼，有什麼關係呢？”

槐樹守衛說：“你跟我說沒用，咱們得按規矩來，你們必須得去見國王陛下，聽憑它老人家的發落。”

小烏龜並不害怕，大聲說：“見就見吧，我還要請它破破這個規矩呢。”

見小烏龜這麼說，楊小陽、若花、若木也就不那麼害怕了，若木也不哭了，三人和小烏龜一起被槐樹守衛們一路押解著，又來到楊小陽剛上島時去過的白色大理石廣場，來到老橡樹國王所在的褐色大理石平臺上，站在了老橡樹國王的面前。

老橡樹國王半閉著眼睛，搖動著樹冠發出了一陣“嗚嗚的”鳴音，小烏龜知道國王生氣了。半晌，老橡樹國王才睜開眼悶聲悶氣地對小烏龜說：“小烏龜，你作爲我們植物島的迎賓人和老朋友，怎麼能做出這樣的破壞規矩的事情呢？你也應該知道做出這種事情後，你們應該受到的懲罰吧。”

小烏龜晃晃腦袋，慢聲慢氣地說：“我知道，就是要被罰做一個月勞役。可是國王陛下，咱們這兒還有客人呢，咱總不能將客人也罰去做勞役吧。”

老橡樹國王有些急，聲音尖銳了一些：“當然，都要去做。”

楊小陽一聽“哇”得一聲哭了起來，哽咽著說：“小烏龜，你不是說今天晚上讓我準時見到爸爸媽媽，一起吃晚飯嗎？這下，我可什麼時候能回去呢？”

若木見楊小陽哭了，急忙說：“楊小陽，都怪我不好，非要帶你去那個地方；國王陛下，是我要進去看的，楊小陽是客人，您就讓他回去吧，我替他做兩個月的勞役。”

若花在一旁也說：“我也願意替楊小陽做勞役，我和弟弟做兩個月，讓楊小陽回去。”

老橡樹國王抖動了一下他的樹冠，“唔”了一聲，像是讚賞，說道：“想不到你們人類到了關鍵時候還挺友愛，這樣吧，小烏龜、若木破壞了規矩，罰做一個半月的勞役，若花也進去了，罰做一個月的勞役，楊小陽可以回去了，但以後不得再來植物島了。”

楊小陽聽了鬆了口氣，心裏卻想：沒有小烏龜我可怎麼回去呢，他們剛才都替我說了話，我也得替他們爭一爭才是。便說：“國王陛下，你們既然和人類共同生活在一個島上，就應該互相信任，而不應該排斥一方，造飛碟也應該是大家共同的事，搞得這麼神秘有什麼意思呢？您也許不知道，在我們人類居住的另一維，我們也在造航天器呢，而且我們已經登上了月球，還有空間站呢。我不知道你們飛碟造到了什麼程度，我們人類的智慧其實並不比你們差呢，如果您讓島上的人類參加進來，人類說不定會對你們的計畫提出很好的建議呢。您應該廢掉這個規矩，不是讓他們做勞役，而是獎勵他們才是。”

若花爸和若花媽不知什麼時候也來到王座旁邊，聽了楊小陽的一番話，趕緊說：“國王陛下，我們都是島上的數理教授，我們願意爲造飛碟提供設計方案。”

老橡樹國王沉默著，王座周圍一片靜默。過了有五分鐘，老橡樹國王終於開口了：“這樣吧，我們現在正遇到一個計算難點，如果從現在起到明天早上六點之前你們能幫我們找到突破點，我就不僅不讓你們的孩子做勞役，還要破除不讓人類參加製造飛碟的規矩，並且，以後對島上的植物、人類一視同仁。”說完，拍拍手，一株牡丹花跳上臺來。

牡丹花對若花爸和若花媽說：“我是飛碟著陸方案的設計者，現在遇到了一點計算問題，請你們幫忙，資料現在都在你們的電腦裏了，你們回去算吧。”

若花爸和若花媽有點不放心地說：“孩子們現在也可以和我們一起回去了嗎？”

老橡樹國王還是悶聲悶氣地說：“放心吧，我們不會傷害他們的。但是在你們算出來之前，他們得在禁閉室呆著。”

若花爸和若花媽又轉身對若花、若木、楊小陽說：“孩子們，別害怕，我們會算出來的。”

若花對爸爸媽媽說：“都怪我沒帶好弟弟，沒帶好客人，給你們惹麻煩了。”

若花爸和若花媽和氣地說：“好孩子，別內疚了，壞事也會變好事的，我們相信我們能算得出來。你們在禁閉室別害怕，好好呆著，會有好消息的。”

若花爸和若花媽說完，就匆匆離開了。

老橡樹國王悶聲悶氣地說：“守衛們，現在將小烏龜和這幾個孩子送到禁閉室去。”

第十一章　植物島禁閉室

植物島禁閉室位於島南邊的一個小海灣的岸邊，是一個灰色小院落，院子四周被一圈高大的水泥牆包圍著，門外站著十幾個槐樹守衛，楊小陽他們被押來的時候已經是傍晚了，押送他們來的槐樹守衛將他們交給這裏的槐樹守衛後就離開了。

楊小陽他們被帶進了院子，院子裏又站了十幾個槐樹守衛，他們被關進了東邊的廂房，這是一間十幾平米大的房間，裏面空空的，只有地上擺著四個草墊子，楊小陽他們連驚帶嚇地早就累壞了，都一屁股坐到了草墊子上。房門被緊緊地關上了。這個房間，沒有窗子，只在房間中間懸著一隻小小的燈，裏面顯得有些幽暗。

楊小陽、若花、若木、小烏龜面面相覷，誰也沒說話。過了半天，若木懊惱地說：“都怪我咳嗽了一下，要不然咱們現在早就和爸爸媽媽一起吃晚飯了。”

若木一說起晚飯，楊小陽的肚子也咕嚕咕嚕地叫了起來，他也想自己的爸爸媽媽爺爺奶奶姥姥姥爺以及遙遙崽王小建他們了，便對小烏龜說：“你說，現在在我們那邊是什麼時間？你能保證我在這邊呆的時間只是那邊的半天嗎？”

小烏龜晃晃腦袋說：“放心吧，咱們現在還在時空擴壓法控制的範圍裏，從你離開到現在，在你們那邊還沒有半個小時呢，你可以在這一維裏呆上一個星期呢。”

楊小陽稍微有些心安，伸個懶腰說：“我可是有點餓了。”

若花的肚子也餓了,便說:“他們會給咱們東西吃嗎？”

正說著，門被推開了，一株外星菊花拎著一隻籃子進來了，它將籃子放在屋子的中央，對他們四個說：“這是你們的晚飯，吃吧。沒有國王陛下的命令你們是不會被允許離開這個禁閉室的。”說完，就關上門出去了。若木聽它這麼說，有點喪氣，不過，很快就被籃子裏的香氣吸引了，便伸手去抓。

楊小陽一看，籃子裏裝的是十幾個烤熟的紅薯，他也拿起一隻，剝了皮吃了一口，還挺甜， 可幾口吃下來就有點想喝水了，便說：“怎麼沒有水呢？”

若花也說：“咱們要點水來喝吧。”若木便去敲門，大喊：“給點水吧。”

很快，門又打開了，剛才的外星菊花，又拎了一隻開水壺拿了幾隻紙杯進來，放下壺和杯子，說：“水來了，不許在裏面大喊大叫，只能小聲說話。”

他們吃完紅薯，喝完水，都有些沮喪，楊小陽想：如果若花爸和若花媽算不出來，小烏龜、若花、若木豈不是還要去服勞役、自己也沒法回去了嗎？便對小烏龜說:“小烏龜，你不是很有辦法嗎，能不能現在就把我們弄出去，把我送回自己家呢？”

小烏龜嘟囔著說：“能是能，只是我已經違反了植物島的規矩，再違反，恐怕我這個植物島迎賓人的職務就要被免了，我的所有魔法都要被廢除的。”

若花思考了一下說：“咱們還是在這裏呆一晚，等我爸爸媽媽算出來再說，一旦算出來，我們不但不用去服勞役，這些規矩也都要被廢除，我們植物島上的人類也就可以和那些外星植物平等了。”

若木便有些興奮：“等我們人和它們植物一起造出飛碟，我不就有可能也去外星看看嗎？”

小烏龜也說：“是啊、是啊，咱們就耐心等上一夜吧，楊小陽，你說呢？”

聽他們這麼說，楊小陽一想也是，反正今天才上島，還有的是時間，便爽快地說：“行。那你們再給我講講植物島的情況好嗎？”

若木說：“好啊，反正也幹不了別的。”

若花說：“你想讓我們講些什麼呢？”

楊小陽說：“先講講你們植物島上的人是怎麼和這些植物相處的吧。”

若花想了想說：“在我們植物島上，看上去人類和植物相處得很融洽，其實是以我們人類服從植物統治爲代價的。”

若木插嘴說：“是啊，他們還給我們訂了許多規矩呢。”

楊小陽問：“什麼規矩啊？”

若木說：“比如，工作時不許互相說話，不許到幾個重要的地方去，不能離開植物島回到咱們人類所在的另一維，不許管植物們的事。等等。”

楊小陽同情地說：“規矩可真不少啊。植物島還有什麼重要的地方人類不能去呢？”

若花說：“一共三個，造飛碟的工廠是一個；還有兩個，一個是爲這些外星植物造營養液的工廠，一個是它們的微波控制塔。”

楊小陽問：“微波控制塔是幹什麼用的？”

若花說：“其實就是它們植物的控制中心，很多事情，它們是通過微波傳輸到植物神經中心的，這裏剛發生的事，那裏馬上就知道了，既不用電腦，也不用手機，可我們人類還得通過電腦、手機傳輸資訊。”

楊小陽說：“能解釋一下嗎？”

小烏龜說：“很簡單，比如你上島的消息，海藻衛兵們發射微波到控制中心，控制中心再發射到國王那裏，國王立刻就知道你上島了，非常迅速。其他植物也會立刻知道，植物島所有的消息都是這麼傳輸的。還有，你看到飛碟工廠做的那個大麵包樣的東西了吧？那可是微波感測器，很重要的啊。”

楊小陽恍然大悟：“怪不得太陽花使者那麼放心的讓若花、若木帶我們參觀呢，原來我們走到哪裡，這些外星植物都會立刻知道。”

若花、若木都沮喪地說：“是這樣的。”

過了一會兒，楊小陽又想起了一個問題：“我有點不明白，我們看到的飛碟雖然很巨大，可老橡樹國王更高大，島上那麼多高大的樹木，飛碟怎麼能裝得下呢？”

若花說：“這你就不知道了，島上的外星植物都有縮身術，必要的時候，它們會把身體縮小幾十倍呢。再說，去外星球，也不是所有的植物都去的啊，這兒可是它們在地球上的大本營，得有人留守啊。我聽我爸爸媽媽說，這些外星植物最早登陸植物島時，一個個都很小的，但很快就變成和地球上的植物差不多大小的樹木和花草了。”

楊小陽總算弄明白了植物島外星植物的大致情況，可又一個問題又冒了出來：“那太陽公公呢，從一開始，大家就都說我是太陽公公邀請的客人，太陽公公住在哪裡？又是怎樣向植物島發出指令的呢？”

若花、若木一起望著小烏龜，小烏龜有些爲難的說：“這也是一個秘密呢，我不知道該不該告訴你。”

楊小陽有些著急地說：“我都知道植物島這麼多秘密了，反正國王都處罰我們了，你再多說一些又有什麼關係呢？”

小烏龜看看若花和若木，問：“你們說呢？”

若花、若木齊聲說：“說就說吧，我們只知道大概，也想聽聽呢。”

小烏龜縮了縮腦袋神秘地說：“太陽公公其實只是一個代號，它是位於太陽附近的一個外星控制中心的代稱，它負責控制指揮太陽系的幾個外星基地。”

楊小陽大吃一驚：“這麼說植物島不是唯一的外星基地，地球上還有其他的嗎？”

小烏龜說：“有，就是我還要帶你去的動物島和水晶島。”

若木插嘴說：“我也聽爸爸媽媽說有動物島和水晶島，原來它們也是外星生物啊。”

小烏龜說：“是啊，這三個島可都是由這個太陽系附近的外星控制中心控制的。”

楊小陽："真有一個太陽公公在裏面嗎？"

小烏龜搖了搖頭："我也沒去過，不知道具體情形。只是聽說那裏是由幾個超級外星生物控制，它們對外自稱'太陽公公'。"

楊小陽聽了有些害怕："這麼說我是由這些超級外星生物邀請來的，它們爲什麼要邀請我啊？"

小烏龜縮了縮腦袋："這我可就不知道了，我只知道執行植物島、動物島和水晶島控制中心發給我的指令。"

若木好奇地問："'太陽公公'與咱們植物島是怎樣進行聯繫的？"

小烏龜搖搖腦袋慢慢地說："誰也沒見過它們，聽說它們只是發送電波到各個島的控制中心發佈命令，大家執行命令而已。"

聽小烏龜這麼說，楊小陽心裏便有些忐忑，他知道自己這幾天的活動還有更神秘的更有力量的超級生物在背後操控，並不像他所看到的那樣簡單，他有些緊張了。

若花、若木也沉默著，屋裏一下子安靜極了。

半晌，還是楊小陽打破了沉默，因爲他憋尿了。"我要撒尿，得把門叫開吧。"

若木跟著也說："我也要撒尿，我去叫門。"

若木說完，就去敲門。很快，門打開了，外星菊花探頭進來，問："什麼事？"

若木、楊小陽齊聲說："我們要撒尿。"

外星菊花說："你們出來吧。"

若木、楊小陽站起來往外走，若花也站起來跟了上去。

三個人出了門，外面的天已經黑了，院子裏有幾盞燈亮著，幾個槐樹守衛圍了上來。

楊小陽問：“我們到哪裡撒尿？”

外星菊花指著院子西側的一間小屋子說：“在那裏。”

若花說：“我不去廁所，就是出來透透氣，我在這兒等著。”

若木、楊小陽被押到廁所邊，進去撒了泡尿就出來了。他們回到若花站的地方，對外星菊花說：“我們想在這裏透透氣可以嗎？”

外星菊花說：“只能呆五分鐘。現在是晚上 8 點，8 點 5 分你們進去。”

站在院子裏的 5 分鐘，楊小陽抬頭看天。只見天上星光點點，圓圓的月亮掛在院牆的一角，被院子裏的燈光映著都若隱若現的。

5 分鐘很快到了，他們又被帶進了禁閉室。小烏龜在裏面縮起了腦袋，半閉著眼睛，已經快睡著了。楊小陽他們一進來，它伸了伸腦袋，很快又縮了進去。

門又被關上了，楊小陽、若花、若木三人站在屋子中央面面相覷。楊小陽打破了沉默：“你們的爸爸媽媽今晚能算出來嗎？”

若木急忙說：“那還用說嗎？肯定能算出來的。”若花也說：“我相信爸爸媽媽，咱們就耐心地等著吧。”

楊小陽還是心裏沒底，又問：“做勞役苦嗎？”

若花說：“那當然，植物島所有的苦活累活都是由做勞役的人做的，什麼運垃圾、搬磚頭給外星植物做苦工，等等。

不過，我們也習慣了，因爲植物島的統治者畢竟是外星植物。”

楊小陽嘟噥著說：“我可不習慣。”

若花說：“我爸爸媽媽可不是一般人，他們是植物島上最棒的數理教授。你就安心休息吧。”

聽若花這麼說，楊小陽一屁股坐到了草墊子上，垂下腦袋，閉目養神。

也不知過了多久，外星菊花開門進來，對著沉睡中的楊小陽、若花、若木、小烏龜大聲喊道：“快起來，快起來，國王陛下要見你們。”

他們四個迷迷糊糊地站了起來，被帶出了屋子。天已經有些濛濛亮了，一陣涼風吹來，將他們吹醒了。

楊小陽反應了過來，問：“是不是算出結果來了？”

外星菊花只是說：“去了你們就知道了。”

楊小陽他們不知等待自己的是什麼，只好跟著槐樹守衛走了。

第十二章　植物島上的人類狂歡

楊小陽、若花、若木、小烏龜被帶到老橡樹國王的王座旁邊時，天已經大亮了。只見若花媽、若花爸也滿臉疲憊地站在那裏，見到若花、若木和楊小陽、小烏龜，他們笑容滿面。若木跑過去，抓住爸爸媽媽的胳膊，大聲說："媽媽爸爸，你們算出來了嗎？"

若花媽仔細端詳著若木，開心地說："算出來了，算出來了，孩子，別大聲叫，聽國王陛下怎麼說。"

老橡樹國王又抖動它的樹冠，發出松濤般的響聲，松濤過後，國王睜開它半閉的眼睛："我要兌現我的諾言。我宣佈：從現在開始，植物島對人類沒有禁區了。並且我們邀請若花爸和若花媽參加飛碟的研製，將來飛碟製造好了，若花一家也可以和我們一道飛到天狼星系去看一看。另外，取消勞役制度，植物島的人類完全可以像植物一樣自由做一切事情了。"

它的話音剛落，若花、楊小陽一起拍手歡呼起來了："太好了！太好了！我們不用做勞役了！我們不用做勞役了！"

若木更是一蹦三尺高："我也可以去外星球了！我也可以去外星球了！"

老橡樹國王揮揮手："去吧，今天植物島給人類放假一天。"

若花爸、若花媽帶著若花、若木、楊小陽、小烏龜，朝著植物島的人類生活區走去。他們穿過餐廳，剛走到農田邊，一群歡呼著的人們就從小路上湧了過來，若花爸、若花媽、楊小陽他們幾乎是被抬著進了人居區的一個大禮堂裏，那裏站著一大群年輕的、年老的以及年幼的人們，楊小陽他們被抬到了禮堂最前面的主席臺上。他們剛站穩，台下的人們就朝他們歡呼起來。一位白鬍子老者走上台來，台下立刻安靜了起來。老人緊緊握著若花爸的手：“你們可是植物島人類居民的大功臣啊，我代表大家感謝你們。”

楊小陽拉拉若木的衣服，問：“他是誰？”

“他是植物島的人類長老。”若木回答。

長老上身也穿著露胳膊的燈籠服，下身著直筒褲，只不過他穿的是一身白。楊小陽朝台下的人群望去，原來植物島的人類居民，上身全部穿著露胳膊的燈籠服，下身穿直筒褲，只是顏色不一樣罷了。

長老注意到了楊小陽，他走到楊小陽跟前，和藹地說：“聽說老橡樹國王給你搞了一個盛大的歡迎式，今天，我們人類居民也要爲你搞一個歡迎式，一是歡迎你這個小客人，二是慶祝我們人類被取消管制。”

楊小陽有些奇怪：“以前你們是被管制的嗎？”

長老捋捋鬍子說：“也談不上是很嚴格的管制，只是很多地方不讓我們去，不可以沖犯外星植物。如果違反，就要被罰去做勞役。現在，規矩被取消了，我們豈不是要慶祝嗎？不過，這一切也都是因爲你這個小客人引起的，我們也要感謝你啊。”

楊小陽趕忙擺擺手說：“哪裡，哪裡，我可是什麼事情也沒做，幸虧若花的爸爸媽媽算出了難題，要不然，我們現在還得去做勞役呢。”

若花爸插嘴說：“若不是你據理力爭，老橡樹國王哪能讓我們解決難題呢，我們應該感謝你。”

“對！楊小陽！楊小陽！”台下一陣歡呼。被他們這麼一喊，楊小陽倒有些不好意思起來。這時，只見台下跑上幾個身穿各色燈籠服的小姑娘，將幾個花環戴到了若花爸、若花媽、若花、若木、楊小陽的脖子上。

見他們幾個都戴上了花環，小烏龜著急了：“怎麼沒有我的花環呢？怎麼沒有我的花環呢？我可是對你們人類最友好的一個使者了。”

長老又捋捋鬍子，“我們倒是想給你戴來著，可你身體這麼小，怎麼給你戴呀？這樣吧，來給小烏龜戴上一枝花吧。”於是，從台下跑上來一位小姑娘，將一朵紅色的牡丹插到了小烏龜的脖子與龜背之間，小烏龜搖搖腦袋覺得不舒服，一縮腦袋，將花弄到地上，再用爪子舉了一下，嘟噥說：“我忘了，我是沒法戴花的。你們還是把花拿走吧。”

楊小陽將花拾起插到自己的花環上，笑著說：“我來替你戴吧，有時候，我們人類的身體是要比你們有用一些的。”

小烏龜“唔”了一聲，說：“那倒也是。今天是你們人類的慶典，我就好好當一個旁觀者吧。”

長老拍拍手，大聲說：“來吧，姑娘們、小夥們，大家唱起來、跳起來吧。”

立刻，台下的老人帶著孩子紛紛站到了禮堂的四周，中間剩下一些年輕的男人和女人，他們手拉手圍成了一圈，跳起了圓圈舞，他們用一種楊小陽在家鄉聽不到的優美旋律唱了起來：

植物島啊，植物島，
一個充滿傳奇的地方，
千年的歷史，外星的傳說，
在地球的另一維裏，
生活著勤勞勇敢的人類。
我們有可敬的長老，
我們有可愛的孩子，
我們有茁壯的青年，
我們有聰明的頭腦，
我們有堅韌的意志，
我們有勤勞的雙手，
我們將創造奇蹟……

楊小陽聽著這歌，覺得植物島的歌詞和自己在家鄉聽到的一些歌差不多，但旋律卻要動聽幾倍，植物島的人類居民真了不起。

裡

這些植物島的青年男女一邊唱、一邊跳，他們組成的圓圈像波浪一樣起伏著，歌聲迴蕩在禮堂中悅耳怡人，楊小陽看得聽得如癡如醉。

一首歌唱完，青年男女們聚集到圓圈的中心，一陣雷鳴般的掌聲從四周傳來，原來是老人孩子在鼓掌。等掌聲平息下來，長老拍拍手，說：“下面，童子軍演奏。”

於是，青年男女退到了四周，剛才站在老人身邊的一群七、八歲，十來歲的孩子紛紛跑到禮堂拐角的一個角門裏，搬出了一堆像鼓號的樂器。孩子們站成男女兩隊，“的的噠噠”敲打鼓吹起來。鼓的聲音有點怪，“噠 — 勾 — 噠”地帶著拐彎，號的聲音就比較圓潤了，但飄在空中卻好象會轉圈。兩種聲音組合在一起聽起來不免有點滑稽，楊小陽心想：剛才大人們的表演那麼優美，怎麼輪到小孩就不行了呢？聽著聽著，他忍不住笑了起來。見楊小陽笑了，長老便拍了拍手，童子軍於是停了下來。

長老問：“楊小陽，你爲什麼笑啊，不好聽嗎？”

楊小陽有些爲難，想了想便說：“也不是不好聽，只是和我們那邊的鼓號演奏聲音不一樣。”

長老又捋捋鬍子說：“是啊，從大仁國王到現在，我們與你們另一維的人分開已經2000年了，我們的音樂肯定與你們的有不同之處。”

若花插嘴說：“楊小陽，你能給我們表演一下你們那邊的歌舞，讓我們看看你們的藝術嗎？”

楊小陽撓撓他的圓腦袋，有些爲難地說：“我可從來沒有在這麼多人面前表演啊，再說我也不會跳舞，只會唱幾支歌。”

若木便拽著他的衣角說：“那就給我們唱個歌吧。”

長老、若花爸、若花媽都鼓勵他說：“對呀，那就唱個歌吧。”

楊小陽見推卻不了，便說：“那我就唱一個我媽媽教我的《大海啊，故鄉》，這是我從小就會唱的一首歌。”說完，就認真地唱了起來：

小時侯，媽媽對我講，

大海，就是我故鄉……

雖然楊小陽的歌聲並不是很圓潤，但他唱得很動情，大家聽得也很入神。楊小陽剛唱完，一陣雷鳴般的掌聲就從禮堂四面響起。

當掌聲稀落下去後，若花、若木一起向楊小陽豎起了大拇指：“楊小陽，你唱得太棒了，我們都很喜歡這首歌，你教我們一起唱吧。”

楊小陽紅撲撲的圓臉蛋更紅了，他有些羞澀地說：“你們真的很喜歡？”

禮堂裏的大人小孩一起說：“是啊，我們都很喜歡，你教我們一起唱吧。”

楊小陽頭一次遇到這種場合，他有些侷促。旁觀的小烏龜伸出腦袋插嘴說：“別緊張，楊小陽，一句一句地教。”

長老拍了拍手，禮堂裏安靜下來。楊小陽放開喉嚨，一句一句地教了起來。整個禮堂響起一片“大海，就是我故鄉”的歌聲。

教完一遍，楊小陽亢奮得臉通紅，嗓音也有些嘶啞了。小烏龜說：“楊小陽累了，趕緊休息休息吧。”

若花不知從哪裡端來一杯飲料，遞給楊小陽，楊小陽喝了一口，感覺非常爽口，就咕嘟咕嘟一口氣喝了下去。

飲料一喝下去，楊小陽就覺得神清氣爽，嗓子也不嘶啞了，一高興便說：“我還可以再教一遍。”大家一齊拍手說：“好啊。”

於是，楊小陽就又教了一遍。很快，大家就學會了，這讓楊小陽非常有成就感，嘗到了當老師的滋味。在家鄉的學校都是老師教他，沒想到到了植物島卻做起了老師。

楊小陽正得意著，長老發話了："今天楊小陽又教會了我們一首歌，爲了感謝他，我們大家一起唱咱們的《植物島人類居民之歌》給他聽，若木，你起頭吧。"

若木起頭唱了起來，整個禮堂響起一種沉鬱卻又雄壯的歌聲：

我們是植物島的人類居民，
千百年來生長在這片土地，
我們有過大仁這樣的國王，
我們也有過深刻的教訓。
為了生存我們忍受異類的統治，
但我們仍然心存理想，
我們要爭平等，
我們要做自由的居民。

植物島啊，植物島，
我們可愛的家鄉，
我們生存的地方……

歌聲有一種動人的力量，直聽得楊小陽熱淚盈眶。這些植物島的居民唱完歌，每個人也都是熱淚盈眶的。過了好半天，長老說："今天，我們終於得到自由了。來吧，孩子們，讓我們一起舉杯痛飲吧。"說完，拍拍手，只見一群孩子跑出去，搬進來幾十箱酒，人們紛紛拿起酒瓶開懷暢飲。

若花也給楊小陽拿了一瓶，楊小陽從來沒喝過酒，卻又不好推辭，就接過酒瓶，輕輕抿了一小口，原來這酒和他喝過的汽酒差不多，味道很好，楊小陽就一口氣喝了下去。酒喝下去，卻一點感覺也沒有，楊小陽很高興，原來植物島的酒並不醉人啊，不過，楊小陽的肚子卻撐了，又一連串地打了幾個嗝，便有些不好意思起來。若木又給他遞了一瓶，楊小陽連忙推辭說："不喝了，不喝了，我喝不下去了。"

若花、若木以及所有植物島的居民卻都放開了肚子一瓶接一瓶地喝著，汽酒喝下去都打嗝，一時間，整個禮堂充滿了打嗝聲。楊小陽便覺得有些滑稽，不過，他很快就想撒尿了，便溜出禮堂找廁所。出門不遠就有一個廁所，門前卻排了一長串的人。這些人大都是進去撒尿的，很快就出來了，所以，很快也就輪到了楊小陽。撒著尿，楊小陽就想，人到底是人，還得撒尿，上了島還沒見那些外星植物拉撒呢，大概它們不用拉撒吧。

撒完尿，楊小陽又進了禮堂，裏面仍然在喝酒，只有長老捋著鬍子笑眯眯地看著他的屬下沒有喝。見楊小陽進來，長老拍拍手，禮堂裏安靜下來，長老便說："下面，面具舞表演開始。"

一群人搬進來一些奇形怪狀的面具戴上，開始跳了起來。面具用各色油彩畫成各種圖案，楊小陽仔細一看，原來有鳥的圖案，羊的圖案、牛的圖案、豬的圖案，等等，舞蹈是模仿狩獵各種動物的動作而設計的，動作很緩慢。

若花媽對楊小陽解釋說："這些都是很古老的舞蹈，是從大仁國王那時流傳下來的。"楊小陽"哦，哦"地答應著，一個問題忽然冒了出來。便問："我來了以後怎麼沒看見動物啊。"一下子，倒把若花媽問住了。若花媽想了想，說：

“是沒有動物，原來島上飼養的家畜家禽，自外星植物來了以後都不讓飼養了，而野生的動物禽鳥，都被趕到動物島上去了。”楊小陽恍然大悟，怪不得自己上島以來吃的都是素食呢，原來這裏沒有動物啊。

面具舞表演進行了一段時間，在一邊沉默了好長時間的小烏龜伸出腦袋對長老說：“已經中午了，該吃午飯了吧？”

長老笑了：“我們太高興了，倒把吃飯給忘了。”他又拍拍手，大聲說：“孩子們，慶典到此結束，大家一起去餐廳吃午飯。”

植物島的人類居民便歡笑著走出禮堂，湧向餐廳。

第十三章　離開植物島

吃完飯，植物島的人類居民又回到禮堂唱歌跳舞。小烏龜對楊小陽說：“咱們得離開植物島了，不然，另外兩個島可就來不及看了。”楊小陽正和植物島的人類居民處的融洽，有些依依不捨。可是一想到如果停留的時間長，就不能和爸爸媽媽一起吃晚飯了，家裏人找不著他肯定焦急萬分，再說，動物島和水晶島什麼樣他也很想去看看，便說：“好吧，咱們跟長老、若花、若木他們告個別。”

楊小陽就過去對長老他們說自己必須得離開了，大家都有些依依不捨，若木都難過得快哭了，他的圓臉蛋漲得通紅：“楊小陽，你留在這裏不好嗎？我們會成爲永遠的好朋友的。”

楊小陽趕緊安慰他：“咱們現在就是永遠的好朋友，不過，我也有爸爸媽媽，我要是不能按時回去，他們會很著急的。我回去後，會一直想著你的。”

若木不那麼難過了：“我懂，我們都有爸爸媽媽。我也會一直想著你的。”

若花也過來和楊小陽告別，她手裏拿著一粒白色的植物種子，對楊小陽說：“我送你一粒植物島的織錦花種子，這是我們植物島人類自己培育的花種，可能你們那一邊沒有，你種在花盆裏，三天澆一次水，每天曬曬太陽，半年它就會開花，也算一個紀念吧。”

楊小陽很高興地接過來，小心地把它裝進自己的上衣口袋，然後對若花說：“謝謝你，若花，我一定照你說的將它種下，照料好它，我想讓我的朋友和家人也看到植物島的花卉，很感謝你和若木陪我一起參觀。”

楊小陽又和若花媽若花爸以及長老他們告了別，就和小烏龜一起離開了禮堂。

楊小陽和小烏龜走出禮堂，小烏龜就對楊小陽說：“咱們得去跟老橡樹國王道個別，離開植物島得經過它同意。”

楊小陽說：“那咱們就入鄉隨俗吧，去見老橡樹國王唄。”

兩人說完，就朝國王所在的廣場走去。

他們還沒走到廣場，太陽花使者就一跳一跳地走了過來，老遠就尖聲尖氣地和他們打招呼：“國王陛下讓我來迎接你們。”

楊小陽和小烏龜隨著太陽花使者來到王座跟前，老橡樹國王依然半閉著眼睛，它搖搖樹冠發出松濤一般的響聲，然後睜開眼睛說：“楊小陽，你已經大致瞭解了植物島的情況，對我們植物島有什麼印象啊？”

楊小陽思考了一下說：“植物島乾淨整潔漂亮，這是我的第一印象。來植物島以前我從來沒有見過外星植物，我們那裏的植物都像這裏的人類植物一樣，是不會說話的，來了這裏我才知道你們是會說會動有高智商的外星植物。可是你們對植物島的人類卻與你們的文明程度一點也不相稱，不僅不平等，還設有那麼落後簡陋的禁閉室，這讓我對植物島的印象大打折扣，我希望你們以後要平等對待植物島的人類，讓外星植物與人類和諧相處。”

一口氣說到這兒，楊小陽喘了口氣，又繼續說：“在我們那一維，植物是不會動的，我們人類有時亂砍樹木，是不對的，這幾年我們人類已經意識到這樣做不對，正在改變，正在善待植物。你們是高級的外星植物，有自己的意志力，智慧在人類之上，應當加強和人類的合作才對。”

聽了楊小陽的話，老橡樹國王半晌沒有吭聲，氣氛一時顯得有些緊張，過了一會老橡樹國王終於開口了：“楊小陽，你是個有思想的孩子，也很有膽量，我們邀請你來做客是個很好的開始，你讓我們改變了原來的做法，我接受你的建議，以後平等對待人類。以後還歡迎你來做客，並希望你能做植物島與地球人類溝通的一員，我們之所以定期邀請那一維的人類來做客，也是爲了將來和地球人類全面溝通做準備。希望你回去後好好宣傳一下植物島。我們已經接到太陽公公的指令，不久，我們就會和地球人類建立聯繫。”

楊小陽聽老橡樹國王這麼說，心裏很高興，說：“我願意爲你們效勞，有什麼事情，你們儘管通知我好了。”

小烏龜聽老橡樹國王和楊小陽這麼對答，便很高興：“國王陛下，我看楊小陽這次的旅程該結束了，我想再帶他去動物島看看，好嗎？”

老橡樹國王“唔”了一聲，說：“好吧，讓太陽花使者再去送送你們吧。”

楊小陽、小烏龜告別了老橡樹國王，就和太陽花使者一起離開了廣場，朝來時的海邊走去。

一路上，外星植物紛紛向他們告別，比楊小陽來的時候可熱情多了，沒有了那種戒備森嚴的感覺。楊小陽心情很愉快。到了海邊，楊小陽彎下身來和太陽花使者握了握手，道了別。一回頭，小烏龜早不見了，來時的橡皮艇就停在腳邊，楊小陽跨了上去，橡皮艇躍上海面，海藻衛兵早已分立兩邊，橡皮艇載著楊小陽向著大海駛去。

楊小陽的假期之動物島

第一章　夜叉之海

橡皮艇載著楊小陽離開植物島後，行駛在茫茫大海上。中午剛過，太陽還熱辣辣的，曬得楊小陽的鼻尖上滲出了汗珠，他有點想喝水了，剛想了一會兒，一瓶冰涼的礦泉水就出現在他的手邊，他擰開蓋子，咕咚咕咚地喝了起來。喝完水，楊小陽拍拍橡皮艇說：“謝謝你啊，小烏龜。”橡皮艇輕輕地顛了顛，表示聽到了。

橡皮艇平穩地行駛著，楊小陽望著茫茫大海，有點想小表弟遙遙崽和好朋友王小建了。突然，楊小陽發現前方的海面上冒出了一大片黑色的斑點。橡皮艇剛尖聲尖氣地說了聲：“糟了，咱們遇上夜叉了。”海水就開始跳蕩起來，一排排巨浪排山倒海般地向他們壓了過來。

橡皮艇隨著浪鋒顛簸著，楊小陽緊緊抓著艇舷，心裏害怕極了。不禁叫了起來：“王小建、遙遙崽快來幫幫我呀！”王小建和遙遙崽自然聽不見，不過，一條繩索卻立刻從艇舷兩邊彈了出來，將楊小陽的腰部與橡皮艇綁在了一起，楊小陽的心稍稍安定了一下，心想，這下就不會掉進波濤洶湧的大海裏了。可是，海浪越來越急，橡皮艇顛簸得越來越厲害了，就連楊小陽這個從小就常常跟爸爸媽媽出海、在海邊長大的孩子也吃不消了，他開始嘔吐了起來。

楊小陽一吐，從他坐的橡皮艇的座位底下就升起一股熱流，熨貼著他的胃和背部，楊小陽好受了，不吐了，橡皮艇雖然顛簸，但他坐在橡皮艇裏倒也還自在。他朝海面上望去，呀，橡皮艇已被烏壓壓一片黑腦袋圍住，橡皮艇在海水裏直打轉，根本不能前進。

楊小陽急了，他拍打著水面，大喊道："滾開，你們這些臭夜叉！"

可是夜叉們卻更來勁了，嗷嗷叫著拼命地向橡皮艇聚攏來，海面上一片嗷嗷聲，海浪更高了，橡皮艇顛簸地更厲害了。但橡皮艇很巧妙地隨著浪峰翻轉，沒有翻個，楊小陽坐在裏面還算安穩。

那些夜叉時而躍起半個身子，時而潛下水去，通過它們露出的部分，楊小陽看到它們長著黑黑的圓腦袋，像海豹一樣的身體和雙耆，眼睛鼻子嘴巴都黑得看不出來，樣子噁心極了。

楊小陽拼命拍打著海水，逐漸有些疲倦了。突然，"呦——"的一聲長鳴從遠處傳來，圍在橡皮艇四周的夜叉們倏的一下四散逃開了。

海面恢復了平靜，橡皮艇重新行駛在波光如鏡的大海上，楊小陽的心也一下子平靜了下來。

不一會兒，一隻白海豚遊了過來，楊小陽一看，這正是那只爲他們去植物島引路的白海豚，趕緊打招呼："你好！

白海豚！是你把夜叉們趕走的吧？”

白海豚氣喘吁吁地說：“是的。不過，我還是來晚了點，讓你們受驚了。”

楊小陽感激地說：“幸虧你來了，不然，我們還不知要被那些討厭的夜叉折騰到什麼時候。”

白海豚安慰楊小陽說：“它們已經被我趕走了，不敢再來了。你放心好了。”

楊小陽問白海豚：“這些夜叉是哪裡來的？又是怎麼出現在這裏的？”

白海豚搖搖頭說：“你知道，植物島是外星植物的；動物島是外星動物的；而水晶島則是外星水生物的。這些夜叉原來是外星水生物的一種，由於違反了太陽公公的指令被罰出了水晶島，被趕到了這片海域，它們就專門對要到這三個島來的船隻興風作浪。”

楊小陽聽它這麼說，便問：“難道就沒有什麼可以管管它們麼？”

白海豚歎口氣說：“這三個島上的外星動植物都聽太陽公公的指令，沒有太陽公公的指令，誰也不敢把它們怎麼樣。對於這些夜叉，太陽公公一直沒有什麼指令，所以哪個島也沒有對它們採取行動，只是委託我驅趕它們，所以就一直變成現在這種局面。”

楊小陽有些擔心地問：“這麼說，我們回來的時候還會遇到它們了？”

白海豚說：“那倒不會，它們也只是一星期才出現一次，剛好讓你們遇上了。”

楊小陽鬆了口氣說："我剩下的時間還有不到一星期了，這麼說我們不會再遇上它們了？"

白海豚說："也可以這麼說。"

楊小陽拍拍手說："太好了，那些夜叉看上去真讓人噁心，掀起的巨浪也讓人暈頭轉向，它們不出現真是太好了。"

楊小陽和白海豚這樣說著，橡皮艇已經駛出了很遠，前方隱隱約約出現了一個島的輪廓。

白海豚甩甩尾巴對楊小陽說："你看，前面就是動物島了。"

說話間，橡皮艇已經駛到了動物島的岸邊。

第二章　白兔使者與豬豬國王

動物島的海岸並不像植物島那樣環布著沙灘，而是被大大小小的褐色礁石包圍著，礁石的上面鋪著一層佈滿粗沙的海灘。海邊最高的礁石上聳立著一隻巨大的白色兔子，不知是用什麼材料雕塑成的。橡皮艇從礁石的間隙穿過，停在了粗沙海灘上。楊小陽從橡皮艇上跳下來，橡皮艇就變成了小烏龜。

小烏龜搖搖小尾巴對楊小陽說："這一路可真夠驚險的。"

楊小陽彎腰拍拍小烏龜的腦袋說："不要緊，都過去了。不過，幸虧你用繩索把我綁住了，不然，我肯定會掉到海裏。"

小烏龜晃晃小腦袋說："這還用說，你是客人，我得照顧好你呀。"

楊小陽回頭朝大海望去，說："這回我們可把那些夜叉甩遠了。"

正說著，他就看見大礁石的兔子雕塑的肚子上開了一個門，從裏面蹦出一隻小白兔來。小白兔蹦蹦跳跳地就來到了楊小陽和小烏龜面前。

這只小白兔和楊小陽在自己家鄉看到的兔子不一樣，長了一雙藍眼睛，一對像貓一樣的小耳朵，如果不是看它蹦跳的樣子和那張豁嘴巴大門牙以及像兔子一樣的臉型，還真看不出它是個兔子來。

小白兔向楊小陽和小烏龜伸出了手，楊小陽一看，哇，這只兔子居然長了像人一樣有手掌和五個手指的手，只是手背上長滿了兔毛。楊小陽和它握了握手，小白兔開口了：“你好，楊小陽，歡迎你到動物島來。一路辛苦了。”

楊小陽便問它：“你好！你是誰？我該怎麼稱呼你呢？”

小白兔回答道：“我是我們動物島豬豬國王的使者小白兔，你叫我白兔使者好了。”

楊小陽說：“這麼說，動物島的國王是豬豬了。”

小白兔說：“是啊，國王陛下派我來迎接你們。你們跟我走吧。”

說完，就一蹦一蹦地在前面引路。

小白兔、小烏龜、楊小陽一行走出了粗沙海灘，進入了一片密林之中，這片林子全是地球植物，走進去像進入了一個綠色的大氧吧，在植物島看慣了外星植物，走進這片林子，楊小陽的呼吸順暢多了。林中一條蜿蜒的石砌小徑，白兔使者帶著他們沿著這條小徑一直向前走去。

大約走了 10 多分鐘，他們來到一個巨大的山門前，白兔使者拍拍手，門就吱吱啞啞地打開了。一對樣子像狐狸卻長了一對短尾巴的動物走了出來。

白兔使者上前拱拱手，說：“我已奉國王陛下的命令將客人帶來了。”

兩個樣子像狐狸的動物也拱拱手說：“國王陛下早就在等你們了，你們進去吧。”

白兔使者蹦進了山門，楊小陽和小烏龜也跨了進去。裏面很明亮，一條不寬的通道通向前方。通道兩邊是高大的石壁，腳下也是石板路。他們一行迤儷走去，很快就走到一個巨大的大廳中間。大廳的地面全是青石板鋪成的，四壁與廳頂全是石壁，像一個巨大的穹隆，通道對面的石壁底下放著一張巨大的石椅。除了石椅，整個大廳空空蕩蕩，沒有一物。光線不知從哪裡透出來的，整個大廳都非常明亮。

楊小陽很奇怪，哪裡有豬豬國王呢？

楊小陽正想著，就只見隱蔽在石壁中的山門打開了一個，從裏面魚貫走出了 8 隻樣子像獅子的動物，只是它們是直立行走的，緊接著走出了一隻樣子像野豬的動物，它也是直立行走的，搖搖擺擺的，頭戴王冠，野豬的後面還是 8 隻直立行走的獅子。16 隻獅子分立在石椅的兩邊，野豬坐到了石椅上，楊小陽想：這大概就是豬豬國王了。

豬豬國王有一身烏黑光亮的皮毛，眼珠很黑、眼白很白，長著野豬的嘴巴、卻沒有獠牙，臉圓嘟嘟的，看上去一點也不嚇人，還有點慈祥的模樣。豬豬國王坐在石椅上咳嗽了幾聲，開口了：“歡迎你，楊小陽。我是動物島的國王豬豬。”

楊小陽因爲有了在植物島的經驗，心裏也不再緊張了。便開口說：“你好！國王陛下。我從人類居住的大陸來，是來參觀動物島的。”

豬豬國王摸了摸它的大耳朵，說：“我知道，你是太陽公公的客人。一路上辛苦了。你們遇上夜叉了吧？”

楊小陽因爲知道了植物島微波傳送資訊的秘密，對豬豬國王的問話也就不奇怪了。他大方地說：“是啊，那群討厭的傢伙，把我們整整攪了好幾十分鐘，弄得我現在還有點噁心。”

豬豬國王說：“總有一天會有辦法對付它們的。爲了給你壓驚，我準備給你演示一下我們動物島的聲光組合，請你們到王座周圍來吧。”

聽豬豬國王這麼說，白兔使者便帶著楊小陽、小烏龜穿過大廳，站在了獅子侍衛的旁邊。幾張石椅緩緩從地下升起，楊小陽、小烏龜、白兔使者都坐了上去。

豬豬國王拍拍手，大廳頓時暗了下來。足足靜默了有幾分鐘，楊小陽都覺得有些壓抑了，突然間，滾雷一般的聲音炸開了，從大廳的四面八方射出了上萬道赤橙黃綠青藍紫色的七彩射線，不停地閃滅，整個大廳被映照得時而黃綠時而青紫又時而粉橙，各種光線閃滅的速度極快，令人眼花繚亂。伴隨著滾雷般的音響，楊小陽都有點頭暈目眩了。

不幾分鐘，滾雷般的音響聲倏地停了下來，七彩射線也一下子不見了，一陣輕柔的音樂響起，整個穹隆大廳呈現出一片淡淡的肉粉色，將豬豬國王、獅子侍衛映照得有些溫柔。輕柔的音樂持續了十幾分鐘，豬豬國王打起了微酣，一片暖洋洋的感覺。

當楊小陽也覺得有些困倦的時候，突然響起一陣叮叮噹噹的鈴鐺聲，清亮的音樂響起，大廳的四壁幻化出一片環行的草叢與樹木，綠色盎然、生機勃勃，楊小陽眼前一亮，頓時舒爽了許多。這時大廳四周的隱形門被打開了，從裏面跑出了各種各樣的動物，在幻化的草叢與樹木中奔跑嬉戲。

漸漸地草叢與樹木逝去、音樂聲也停了下來，動物們也跑回了原來的隱形門裏，大廳恢復了原來的自然光線與寂靜，只剩下了楊小陽、小烏龜、白兔使者以及豬豬國王以及獅子侍衛。

半晌，豬豬國王說：“怎麼樣，楊小陽，過癮嗎？”

楊小陽還在回味著剛才的聲光表演，過了一會才反應過來，連忙說：“過癮。真是棒極了。”

豬豬國王摸了摸它的大耳朵，有些得意地說：“我們動物島還有很多好玩好看的事呢，讓白兔使者帶你參觀去吧。”

楊小陽連忙說：“謝謝國王陛下。”

第三章　白眉猿博士的實驗室（一）

豬豬國王說完請楊小陽參觀，就站起身來和獅子侍衛搖搖擺擺地回它來的地方去了。白兔使者對楊小陽和小烏龜一招手："你們隨我來。"便一蹦一蹦地向王座旁邊的一個隱形門走去。

他們三個走到門邊，楊小陽幾乎看不出門的痕跡，一扇圓形的拱門就打開了。裏面是一個巨大的明亮的實驗室，白兔使者帶它們走了進去，身後的拱門又自動關上了。

實驗室分成很多區域，靠著拱門的是一個寬敞的會客區域，擺著沙發和茶几。一個身穿白大褂的長著白眉毛、白鬍鬚的樣子很像白眉猿的動物走了過來。白兔使者向楊小陽介紹道："這是我們動物島的白眉猿博士，是動物島實驗室主任。"

白眉猿博士向楊小陽伸出手來，說："你好！楊小陽，歡迎你來我們實驗室參觀。你們先到這裏坐下來，我給你們介紹介紹情況。"

楊小陽剛說完"好"，小烏龜就不知什麼時候坐到了沙發上，楊小陽也坐到了沙發上。白兔使者給他們端來了兩杯清亮的飲料，也坐了下來。白眉猿博士也走到他們對面坐下，說："你們先喝點我們自製的'冰涼啤'，嘗嘗味道。"

楊小陽端起飲料，喝了一口，哇，冰爽沁骨，甜香適口，便點點頭說："好喝。"

小烏龜不知從哪裡變出一根吸管，也搖頭晃腦地喝起飲料來。

見他倆喝得開心，白眉猿博士很開心地說：“這是我們動物島的王牌飲料，每年夏天，島上的動物都要喝掉好幾十噸各種各樣的飲料呢。它們的研製者就是我們的河馬博士，它是我們島上的食品專家，會調製各種飲料，配製各種營養餐，它可是我們島上的重要人物呢，待會兒，你們會見到它的。”

楊小陽說：“是嗎？它一定很有趣吧？”

白眉猿博士點點頭說：“的確如此，它很幽默，也很有才華，還是我們動物島議會議長。”

楊小陽問：“那我們什麼時候能見到它？”

白眉猿博士笑笑說：“這你就別急了，你們自然會見到它的。我們還有很多有趣的事物呢，讓我慢慢給你們說來。”

這時，小烏龜縮著腦袋在沙發上睡著了。楊小陽仍然興致勃勃地在問白眉猿博士：“你們動物島上有什麼有趣的事物呢？我可真想看看呢。”

白眉猿博士拿出一隻藍色的手掌大的球來，對楊小陽說：“你想看看我們的外星文明嗎？”

“什麼‘名’？誰出名了？”小烏龜睡得朦朦朧朧的，迷瞪著兩眼問。

白兔使者笑著拍拍它的腦袋說：“沒說誰出名，是白眉猿博士想讓你們看看我們的外星文明。”

“看你們不就是看了外星文明了嗎？”小烏龜嘟囔著說。

白眉猿博士笑笑說：“我們這三個島的文明，只是天狼星系文明的一個旁支，天狼星系的文明已經有幾十萬年的歷史了。這個藍色的小球是一個文明記憶卡，記錄了天狼星系幾十萬年的文明史，每個離開天狼星系的族群都持有一個。”

楊小陽有些明白了，說：“這麼說，你們和植物島的外星植物一樣，都是天狼星系的移民？這個小球植物島也有一個？”

白眉猿博士說：“對呀！我們來自天狼星系不同的星球，但我們的文明都是同時發展的，它們也有它們的文明記憶卡，只是它們沒有拿出來給你們看而已。”

楊小陽說：“好像植物島的文明比起它們的祖先已經有退步了，它們還在試圖重新建造飛碟飛回天狼星系呢？”

白眉猿博士說：“據我瞭解，它們有些地方還是比祖先有發展的，比如，它們的微波感測器技術。但它們的記憶卡好像有損傷，造飛碟的部分被損壞了，它們正在試圖恢復。”

楊小陽這才明白爲什麼植物島要把造飛碟看得那麼重要和神秘了。他看了看藍色的小球，好奇地問：“這麼小的球，怎麼能記錄下幾十萬年的文明呢？”

白眉猿博士輕輕旋轉了一下小球，小球是活的，被擰開了蓋，裏面是密密麻麻比小米粒還要小的晶片。白眉猿博士對楊小陽和小烏龜說：“這些‘小米粒’裏裝得可都是我們天狼星系的文明密碼，記載了我們數十萬年的文明呢。這些‘小米粒’就是我們的文明記憶晶片。你們想看我們什麼時期的文明呢？”

楊小陽說：“我們想看看你們星系的文明起源。”

小烏龜在一旁也連忙說：“是啊，我們想看看你們的文明起源。”

白眉猿博士微笑著說：“這很簡單。”說完，輕拍了一下手，只見正對著楊小陽它們的一面牆壁上垂下一個大銀幕，室內的光線也開始暗了下來。白眉猿博士又輕輕旋轉了一下藍色的小球，銀幕上便開始出現立體畫面了。楊小陽小烏龜開始津津有味地看了起來。

只見一顆巨大的熾熱的星球出現在畫面上，此時音樂聲起，星球旋轉著，猛地一下，星球分裂成無數的碎片，碎片直向楊小陽他們撲來，楊小陽嚇得尖叫了一聲，可碎片又倏地沒有了。

隨著畫面的轉動與解說，楊小陽明白了：原來，幾百億年前，天狼星系還只有一顆恒星，後來這顆恒星發生爆炸，分離出來的物質逐漸形成了三顆行星，在這三顆行星上逐漸出現了植物、動物以及水生物，這三種生物逐漸進化，在幾十億年前逐漸形成了高度發展的文明。他現在看到的外星植物、動物就是進化的結果。

很快，這三個星球上的植物、動物以及水生物就繁衍得越來越多，它們就研製出飛碟，開始向外星球遷徙。

介紹到這兒，畫面逝去，音樂停止，光線也亮了起來。楊小陽輕輕歎息了一聲：“原來是這麼回事啊。”

白眉猿博士微笑著說：“沒有什麼神秘的吧？我們來到地球已經十多個世紀了，除了植物島上原來居住的人類，我們一直沒有打擾你們陸地上生活的人類，因爲我們想，我們是客，你們是主人，地球還是屬於人類的。遲早有一天，我們還會遷徙的，還是不破壞你們原來的生活進程爲好。但我們一直關注人類的文明進程，這一百年來，人類技術如此飛躍發展，讓我們很驚奇，我們也想與你們交往，便挑選一些人來我們這裏參觀，爲將來的交往作準備，你就是其中的一個。”

聽完這話，楊小陽又輕輕歎息道：“原來如此啊。”

小烏龜在一旁晃晃腦袋，說：“和夜叉鬥了半天，又看了這麼半天的‘電影’，我可是早就餓壞了。楊小陽你不餓嗎？”

楊小陽還沒回過神來，半天，才摸摸肚子，說：“唔，好像有點餓了。”

白兔使者很快就端來了四盤咖喱雞飯，小烏龜、白眉猿博士、白兔使者和楊小陽都坐下來大口大口地吃了起來。

吃完飯，楊小陽對白眉猿博士說：“現在，該帶我看看你們的實驗室了吧？”

白眉猿博士微笑著說：“好！我這就帶你們參觀。”

白眉猿博士剛說完，白兔使者就拿來一套白色的防護服讓楊小陽穿上，從頭到腳，只露出眼睛、鼻孔和嘴巴。小烏龜見楊小陽穿上了防護服，便很著急，不禁嚷道：“我可怎麼穿呢？”

白兔使者擺擺手，說：“你別著急呀。”又拿出一套小烏龜可以穿的防護服，正好裹住了它的身體和四個腳爪，只露出了它的小腦袋。

防護服很柔軟，楊小陽穿著像穿了柔滑的絲綢，挺舒服的。白眉猿博士和白兔使者也穿上了防護服，便帶楊小陽他們離開會客區，向著實驗室的第一個區域走去。

這是一個寬敞的白色區域，用很高的白色隔板與會客區密閉隔開，門是密碼設置，白兔使者用密碼開了門，帶他們進入。裏面 7、8 個身穿藍色防護服的動物正在忙碌，因爲穿著防護服，看不出它們是什麼動物，楊小陽從它們露出的眼睛、鼻子和嘴巴以及體形判斷，它們大概是和白眉猿博士差不多的猿類。果然，白眉猿博士和它們招呼了起來："你們好！長臂猿博士，我給你們帶來了新的客人 —— 楊小陽。"

長臂猿博士們紛紛過來和楊小陽握手，隔著防護服楊小陽一點也感覺不到它們手上的毛，只是感覺到防護服的絲滑。

長臂猿博士們請楊小陽到一台顯微鏡前觀看，楊小陽看到了無數蠕動的細菌，和自己在自然課上看到的沒有什麼兩樣，便說："這是不是細菌培養液？"

領頭的長臂猿博士說："是的，現在你們人類也有了細菌細胞研究而且水準很高，我們也很想和你們交流呢。下次，我們會邀請一些人類的細菌學專家來呢。"

白眉猿博士在一旁解釋說："我們正在研究一種新藥，正在進行細菌細胞學分析呢。"

"新藥？你們外星動物也生病嗎？" 楊小陽很驚奇地問。

"是啊，我們也是生物啊，不過，因爲我們進化得好，像人類那種能致命的疾病正在從我們身上消失，也就是說，很快，我們這個物種就會永遠繁衍下去，不會滅絕了。現在我們正在研究一種能殺滅能使我們致命的最後一種疾病的新藥 —— 永生靈，吃了這種藥我們就不會生任何病了，除了自然衰老，就不會再有使我們致死的疾病了。我們這個物種會永遠地延續下去了。”

“哇，你們可真幸運啊。但願我們人類也能研製出這樣的新藥。”楊小陽羨慕地說。

“這種藥研製出來，我可要先試試。”小烏龜在一旁興奮得有些搖頭晃腦。

“到時自然少不了你。”白眉猿博士微笑著說。說完，它又轉身對領頭的長臂猿博士說：“今天的進度如何？”

領頭的長臂猿博士很高興地說：“今天我們分離出了可以永久殺滅我們動物身上致病基因的新型細菌，取得了重大突破。估計新藥很快就能進行活體實驗。”

白眉猿博士和白兔使者都興奮地說：“太好了，太好了，如果新藥研製成功，你們可真成了我們動物島的大功臣啦。我們大家可得好好謝謝你們了。”

楊小陽在一旁聽了由衷地羨慕，他為自己還不是科學家有些遺憾了，因為他無法與長臂猿博士們進行專業交流。他想了一下說：“你們能將研製的方法寫下來讓我帶給人類嗎？”

白眉猿博士很理解地說：“你們人類的基因與我們的基因完全不同，帶回去也沒有太大的用處，不過，你放心，我們會請一些人類科學家來這裏交流的，這是我們下一步打算做的事情。”

楊小陽聽了心裏就安然一些了，心想如果人類科學家來交流，肯定會受到啓發的，說不定人類也能研究出自己的“永生靈”。自己回去可一定得好好學習，長大後也參加這項研究該多好啊。

小烏龜像是看出了楊小陽的心思，在一旁說：“下次人類科學家來的時候，你還可以再來。”

楊小陽心裏很高興，說：“好啊，我還真想學點東西呢。不過，我能帶我的朋友們來嗎？”

白眉猿博士微笑著說：“當然啦，我們歡迎你帶你的朋友來。下次再來，你就又長大一些了。會懂更多的知識的。”

楊小陽心裏更高興了，說：“好啊，好啊，我也會對人類有用的。”

白兔使者插嘴說：“我們每個個體都會對自己的族群有用的，你不用爲自己有用沒用擔心。”

楊小陽撓撓頭說：“說的也是。我還是繼續參觀你們的實驗室好啦。”

白眉猿博士忙說：“好。我們帶你去下一個實驗區參觀。”

第四章　白眉猿博士的實驗室（二）

走出長臂猿博士們的實驗區，白兔使者和白眉猿博士脫下了身上的防護服，也讓楊小陽他們脫下防護服，楊小陽覺得自在多了。他們向一個開放式的大實驗區走去。

這個實驗區在長臂猿博士們的實驗區的對面，是一個藍色區域，沒有門，白眉猿博士帶著楊小陽他們徑直走了過去。裏面幾個轉椅上坐著幾個像豹子一樣的動物，轉椅旁邊的圓凳上坐著幾個身穿白大褂的像狗一樣的動物。見白眉猿博士帶著楊小陽們走了過來，穿著白大褂的狗樣動物紛紛站了起來，伸出毛茸茸的手來和他們握手。

白眉猿博士對它們說：“你們好！狗博士，我給你們帶來了一位客人 —— 楊小陽。”

狗博士們紛紛對楊小陽點頭：“歡迎你，楊小陽。”

楊小陽看這裏既沒有燒杯也沒有顯微鏡，有些奇怪地問白眉猿博士：“這裏做的是什麼實驗？”

白眉猿博士微笑著說：“這是我們的心理測試室，狗博士們是我們的心理測試師。轉椅上坐的是我們島上的豹子搬運工，是今天的受試者。”

楊小陽明白了，原來外星動物也要做心理測試，他在學校的時候測試過一次，沒什麼意思，淨回答問題了，最後給他一個結論：心理正常。沒什麼稀奇。不過，外星動物怎麼做心理測試，他還有些好奇，它們都應該是些超級生物啊，怎麼還要做心理測試？這樣想著，不禁脫口而出：“你們也需要心理測試？”

白眉猿博士見楊小陽這麼問，長嘘了口氣，說：“你還不瞭解我們這些外星生物。等你瞭解了，你就會知道我們這些外星生物並不是生下來就是像現在這個樣子的。我們剛生下來的時候都是一個模樣的，沒有現在這樣的外形，現在的樣子，是我們 10 歲的時候，根據地球動物的形狀變形而成的。”

楊小陽很奇怪，問：“你們為什麼要變形呢？又為什麼需要心理測試呢？”

白眉猿博士微笑著說：“因為我們要適應地球上的生存啊，10 歲前我們以我們本來的樣子存在、學習、成長，10 歲後，我們就要做心理測試，看每個個體適合做什麼，然後根據測試結果讓它們變形為各種地球動物，為動物島服務，以後我們每年都要做心理測試，如果發生變化，再做新的變形。”

原來是這麼回事啊，楊小陽明白了。他開始關心起這些外星生物的心理測試起來，便問：“你們的心理測試怎麼做呢？”

白眉猿博士還是笑眯眯地說：“讓我們的狗博士們為你演示一下。”

只見狗博士們給每個豹子搬運工都戴上一頂像摩托車頭盔一樣的東西，只是這個頭盔上閃著五顏六色的小燈。狗博士們坐上圓凳，開始向豹子搬運工問話，每問一個，豹子搬運工們並不用回答，它們腦袋上的頭盔上的小燈就會閃一下，狗博士們就會在記錄卡上記下來。幾十個問題問下來，記錄卡也記滿了。狗博士們問的問題千奇百怪，比如，其中一個狗博士問一個豹子搬運工：“你今天吃排骨時咬碎骨頭了沒有？”還比如，狗博士問：“你看月亮的時候喜歡看上弦月還是下弦月？”

楊小陽弄不明白它們葫蘆裏賣的什麼藥。但很快，狗博士們就得出自己的結論了。它們互相商量了一下，其中一個對白眉猿博士說：“今天測試的豹子搬運工全部合格，它們都適合以豹子的身形繼續當搬運工。”

豹子搬運工的頭盔被取了下來，它們跳下轉椅和狗博士們握手，和白眉猿博士握手。然後一一過來和楊小陽握手，它們的手勁很大，它們一個一個握完，楊小陽覺得自己的手要被捏碎了。握完手，它們就一個一個走出了實驗室。

楊小陽覺得很有意思，很想也戴上頭盔試試。小烏龜知道了他的心思，就對狗博士們說：“你們也給我們的客人做一下心理測試，好嗎？”

狗博士們齊聲說：“可以呀。楊小陽坐到轉椅上來吧。”

楊小陽坐到了轉椅上，狗博士們給他戴上了頭盔，然後說：“楊小陽，你不用緊張，也不用用嘴說，我們問問題，你只要想一下就行了。”

頭盔看上去很大，可戴著一點也不沉。楊小陽覺得很好玩，就轉了轉脖子，可頭盔上的警示燈亮了並“嘟 —— ”的響了一聲，嚇了楊小陽一跳。

狗博士們連忙說：“別緊張，楊小陽，我們要開始問問題了。”

楊小陽趕緊坐好。一個狗博士問："你喜歡螞蟻嗎？"說到螞蟻，楊小陽的頭皮麻了一下，剛想說不喜歡，頭盔上的綠燈就亮了，狗博士們就在記錄卡上記了一下。一個狗博士又問："你喜歡吃螃蟹籽還是螃蟹腿？"楊小陽流了一下口水，想說螃蟹籽，頭盔上的黃燈就亮了，狗博士們又記了一次。就這樣，一連被問了幾十個問題，楊小陽有點疲倦了，狗博士們才停下來。楊小陽的頭盔被拿掉，其中一個狗博士很嚴肅地對他說："你是一個誠實守信，智力正常，又很有毅力的人類孩子。歡迎你再次來動物島做客。"

楊小陽聽了舒了口氣，心想，我可不是正是這樣一個孩子嗎？這心理測試可真夠麻煩的，回答了那麼多問題，就爲了得出這麼一個結論，可真夠累人的。

像是知道了楊小陽的心思，白眉猿博士微笑著對楊小陽說："你可別小看心理測試，它可以瞭解一個人的脾性。你們人類不是也有這項測試嗎？只不過，在我們這裏，心理測試應用得更廣泛、更普及罷了。連我們的國王陛下也得接受心理測試呢。"

"是嗎？國王陛下也接受心理測試？它接受心理測試有什麼用嗎？"楊小陽很奇怪地問。

白眉猿博士微笑著說："決定它能不能繼續當國王啊。如果心理測試說它不合格，就說明它不適合再當國王了，它就會被罷黜，我們就得另選國王。"

楊小陽驚奇地說："連國王都得由心理測試決定？真是太奇怪了。"

白兔使者在一旁說："一點也不奇怪，心理測試可是一門科學。如果你的天性適合做搬運工，卻讓你做了國王，那可不要亂套？我們動物島建島以來之所以秩序井然、沒出過什麼大亂子，和我們堅持進行以心理測試確定我們的分工是分不開的。總有一天，你們人類也會越來越重視心理測試的。”

楊小陽心想，這動物島可真不容小覷，連國王都要受制於心理測試，背後說不定還有更複雜的東西呢。可別再像在植物島那樣虛驚一場。這樣想著，心裏便不免有些緊張。

正好在這時，小烏龜開口了：“我們的時間有限，我看實驗室就參觀到這裏吧。”

這正中楊小陽下懷。楊小陽趕緊說：“是啊，我還想看看別的地方呢。”

於是，楊小陽、小烏龜、白兔使者和白眉猿博士以及狗博士們道了別，便從實驗室出去了。。

第五章　動物島的幼崽與變形

楊小陽、小烏龜和白兔使者又回到了豬豬國王接待他們的大廳。豬豬國王已經坐在了王座上，旁邊站著獅子侍衛。

見楊小陽他們回來，豬豬國王便問道：“參觀的怎麼樣啊？楊小陽？”

楊小陽很興奮地說：“很好啊，我還做了心理測試呢。”

豬豬國王嘟囔著說：“心理測試我們都要做的。你對我們的實驗室有什麼印象嗎？”

楊小陽正有一肚子的話要說，便說道：“第一個印象是，你們的實驗室好大啊，有好多的區域；第二個印象是，好乾淨啊，你們的實驗室清清爽爽，比我們的醫院還乾淨呢。第三個印象是，你們的實驗室居然還包括心理測試室，比我想像的一般科技實驗室範圍要大。第四個印象是，白眉猿博士好熱情。謝謝您讓我參觀了你們的實驗室。”

見楊小陽一下子列了 4、5 點，豬豬國王也來了精神。它有些得意地說：“我們動物島讓你驚奇的地方還多著呢，讓白兔使者再帶你參觀去吧。”

豬豬國王說完，就和獅子侍衛回它的寢室去了，大廳裏只剩下白兔使者、小烏龜和楊小陽。

大廳裏靜悄悄的。白兔使者打破了靜寂，對楊小陽說：“參觀實驗室時你已經知道了我們現在的樣子不是最初的樣子，你想不想看看我們生下來最初的樣子呢？”

楊小陽一聽好興奮，趕緊說：“當然想啦。”

白兔使者見楊小陽這樣說，便說：“那好，下面我就帶你們去參觀一下我們的幼兒成長區吧。”

白兔使者說完，便帶楊小陽和小烏龜向王座另一邊的一扇拱門走去。一進門，幾個長著梅花鹿的腦袋和身體卻直立行走的保育員過來和他們打招呼。楊小陽一邊和它們寒暄著，一邊朝裏面張望。只見裏面是一個巨大的玻璃房子，裏面爬動著許多粉紅色的樣子像章魚一樣的肉球。

其中一個梅花鹿保育員見楊小陽已經看到了玻璃房以及裏面的東西，便對楊小陽說：“玻璃房裏培育的就是我們的幼崽。”

楊小陽恍然大悟，原來這些外星動物本來的樣子就是這樣的啊。可它們爲什麼要變成現在的樣子呢？這樣想著，便脫口而出：“這樣也挺好的呀，你們爲什麼非要改變模樣呢？”

那個梅花鹿保育員說：“我們是爲了適應地球上的生存環境啊。要知道玻璃罩裏面流動的可是二氧化碳啊。我們的幼崽是呼吸二氧化碳的呢，因爲我們原來的星球上的空氣環境是以二氧化碳爲主的，我們一生下來呼吸的就是二氧化碳。我們只有經過變身之後才能呼吸氧氣。”

楊小陽這才明白了，原來是這麼回事。他突然想到了一個問題，便問：“那你們的祖先是先經過變身才進入地球的吧？”

白兔使者回答道：“是這樣的。我們的祖先在進入地球前，都在太陽公公那裏變了身，然後才來到地球的。”

楊小陽想植物島的外星植物是不是也經過變身了呢？脫口問道："植物島的植物們是不是也是變身後的樣子呢？"

白兔使者說："它們也是經過變身的。只不過它們的幼崽成熟期比我們的要長，它們對幼崽保護得更加嚴密一些罷了。它們是不對外人展示自己的幼崽的。"

楊小陽沒想到事情會這麼複雜，不禁有些感慨地說："原來是這樣啊。"

小烏龜在一旁說："是這樣的，外星的生存環境與地球是完全不一樣的，植物島和動物島的外星生物都是要經過變形才能更好地適應地球的生存環境。"

楊小陽看著小烏龜，有些好奇地問："小烏龜，你是不是也經過了變形？"

小烏龜有些不好意思地說："是的，我也是經過了變形的。我原來是水晶島生物，變形後成了這三個島的迎賓人。"

楊小陽看著小烏龜，覺得有些陌生。小烏龜看出了他的心思，說："楊小陽，你說，我要是一隻普普通通的地球烏龜的話，哪裡來的這麼多的法術呢？我還是一隻外星烏龜的好啊。"

楊小陽想想也是，這些時候一直在和外星生物打交道，也不那麼害怕了，心裏很快就釋然了。

楊小陽於是對白兔使者說："我能看看你們的變形過程嗎？"

白兔使者很大方地說："可以呀，我們動物島一切對外開放。"

剛才的梅花鹿保育員介面說："這個大玻璃罩子裏養育

的是三歲前的幼崽，還沒開始上學。下面讓白兔使者帶你看看我們上學後的學生崽吧。過一會再看變形。”

說完，便帶楊小陽、小烏龜、白兔使者走到另一個大玻璃罩子前，先前的粉色的章魚樣的小肉球都變成了“大章魚”。楊小陽一看，裏面分成了很多的區域，每個區域裏都有一些褐色的有一米高的“大章魚”在活動。楊小陽想，這大概就是 3 歲以後、10 歲以前的外星動物了。楊小陽觀察了一下，它們有的在戴著耳機聽什麼、有的在電腦前操作著、有的好像又在跳舞。

梅花鹿保育員對楊小陽說：“它們都是學生，有的在學地球上的各種語言，有的在學數理科技，有的在運動。”

楊小陽這才明白了，爲什麼這些外星動物都會說普通話，原來它們從小還要學習地球上的各種語言。看著看著，一個問題便冒了出來。楊小陽問道：“我怎麼沒看到它們的老師呢。”

梅花鹿保育員微笑著對楊小陽說：“我們的教育都是通過三維科技進行的，通過電腦以及語音音像系統自動教學，教師都在罩子外面。”

他們正說著，就走過來一個樣子像山羊的動物，白兔使者介紹道：“這是我們動物島的山羊老師。”

楊小陽趕緊打招呼：“山羊老師好！”

山羊老師也招呼道：“楊小陽好！”

楊小陽很好奇地問：“山羊老師，您能給我演示一下你們是怎樣進行教學的嗎？”

山羊老師說：“沒問題。你跟我來。”說完，走到玻璃罩前。

山羊老師問楊小陽：“想聽到裏面的聲音嗎？”

楊小陽說：“想。”

山羊老師一揮手，只聽裏面的電腦在說：“中文打招呼要說‘你好！’”裏面的“章魚”們跟著一片“你好！”

楊小陽這下明白了，原來這些外星生物是這樣學習的。

山羊老師又一揮手，罩子裏面的聲音就聽不見了。

楊小陽對這些外星動物的學習很感興趣，便問：“山羊老師，您的學生要考試嗎？”

山羊老師微微一笑，說：“當然要考啦。它們各科的成績加上心理測試結果便是它們以後變形的依據。”

楊小陽一聽，原來它們的學習這麼重要呀。這可比我們人類的學習對個體發展的影響大多了，人類的學習至少還有一定的靈活性，比如可以改行什麼的。學習決定變形成什麼樣還是第一次聽說。

不過，山羊老師又這麼說：“變形後我們每年還要進行考試和心理測試，成績和結果有變化，還可以重新進行變形。”

楊小陽這才覺得它們的做法有一定的合理性，只不過它們的考試和測試未免太多了，要是遙遙崽和王小建知道了，肯定也會覺得麻煩的。

楊小陽這樣想著，不覺說道：“你們的變形要經過這麼多的考試和測試，一定很重要了？”

梅花鹿保育員微笑著說：“當然。下面我們帶你去看看我們的變形機。”

說完，梅花鹿保育員就帶著楊小陽、小烏龜、白兔使者向另一個房間走去。

這個房間和剛才的保育區是連著的，裏面有一個巨大的金屬樣器皿，器皿的一端有一個玻璃通道通向剛才的保育區。

梅花鹿保育員對楊小陽說：“這個金屬器皿就是我們的變形器。今天正好有幾個幼崽要變形成袋鼠醫生，你可以參觀一下。”

正說著，只見玻璃通道裏爬進幾個章魚樣的幼崽，梅花鹿保育員走到變形器的指示台前，按了一下按紐，幼崽們就一個個地進入了變形器。梅花鹿保育員又按了幾次按紐，變形器開始啓動了，發出蜂鳴一樣的“嗡嗡”聲。

楊小陽看不到裏面的運轉，只好聽聲音。蜂鳴聲均勻地響著，變形器的指示燈也亮著。梅花鹿保育員走過來說：“剛才我調好了裏面的溫度與時間，變形成不同的動物需要的溫度與時間不一樣。”

楊小陽好奇地問：“變成袋鼠醫生需要的時間和溫度是多少呢？”

梅花鹿保育員說：“溫度大約是攝氏 37 度，時間大約需要 1 個半小時。”

楊小陽說：“這麼說我得在這裏等 1 個半小時才能看到它們變形成袋鼠醫生？”

梅花鹿保育員說：“是這樣子的。不過，你這一段時間可以到處走走看看，不一定非得等在這裏。”

白兔使者說：“我帶你們去看看已經變形好的動物的心理訓練吧。”

說完便帶它們來到另一個房間，只見幾個狗博士正忙著給幾個長臂猿上課。楊小陽走近了，便聽到一個狗博士對變形後的長臂猿說：“你們現在已經被變形爲長臂猿了，是我們動物島科學實驗室的工作人員了。在你們的幼年期，你們呼吸的是二氧化碳，現在，你們用氧氣呼吸了。也許你們還不習慣，你們已經有了新的皮毛。過去，你們的任務主要是學習，現在，你們要開始工作了。很多事你們還不瞭解，你們得向老長臂猿們學習，服從安排，聽從指揮，這樣才能適應新的環境和工作。”

楊小陽很感興趣地聽著，覺得這些外星生物的職業訓練也和人類差不多。原來，它們也不是多麼高不可攀的。這樣想著，就聽白兔使者在一旁說：“我向你們表示祝賀，小長臂猿博士們。原來你們生活在人工環境中，現在，你們終於和地球環境融爲一體了。祝賀你們開始新的生活。我現在給你們介紹一個新朋友，就是你們學習過的人類，他是我們邀請的客人 — 楊小陽。”

楊小陽趕緊和這些新的長臂猿博士招呼著：“你們好！長臂猿博士們。你們是剛從變形器裏變形出來的嗎？”

長臂猿們搶著說：“是啊。”

楊小陽又問：“變形的時候感覺怎樣？疼嗎？”

長臂猿們說：“不疼，我們進去後感覺暖暖和和的，都睡著了。等我們醒來的時候，我們就變成長臂猿了。”

楊小陽接著問：“你們喜歡你們現在的樣子嗎？”

長臂猿們說：“喜歡倒還喜歡，就是有點不習慣。”

狗博士說：“很快你們就會習慣的。”

楊小陽看著它們心裏有一種怪怪的感覺，不久前它們還是像章魚樣的肉團，現在卻變成了一個個長臂猿，這變化多大呀，竟也看不出它們有多大的痛苦。 這些外星生物爲適應地球上的生存環境付出的代價這麼大，它們是多麼得不容易啊。這樣想著，不由得說：“你們在地球上生存可真不容易,還要經過變形。你們就不想再回到自己的外星故鄉嗎？”

小長臂猿們你看看我、我看看你不知怎麼回答。狗博士們開口了：“當然想啊。可是送我們來的飛碟早已回去了，如果回去我們還得造飛碟。”

楊小陽說：“植物島不是在造飛碟嗎？順便問一下，你們剛來時是在哪裡變形的？”

狗博士們說：“我們也在造啊，只是我們的進度比它們要慢一些。我們的祖先是在上飛碟前就已經變形了的，它們早就知道地球的生存環境。飛碟將它們放下後，看它們適應了地球環境才離開。”

楊小陽介面說：“可植物島的飛碟就一直留在了島上。你們的飛碟怎麼飛回去了呢？”

狗博士們說：“本來我們的飛碟要回去接第二批來地球的探險者，結果不知爲什麼回去後就再也沒來。我們的祖先就留在地球上建立了動物島，並在這裏繁衍生息，重新建造了變形器，解決了我們生存的大問題，永久的地留在了這裏。”

楊小陽好奇地問：“植物島的飛碟可是留在地球上，怎麼它們沒有飛回去呢？”

狗博士們說：“它們的飛碟來地球後就出了故障，所以就一直荒廢在島上。”

楊小陽這才明白了爲什麼植物島上的外星植物還得重新設計飛碟的原因。

見楊小陽和狗博士們聊得正高興，小烏龜在一旁提醒道：“袋鼠醫生快成型了，要不要過去看看？”

這時，梅花鹿保育員早已回到大變形器那裏，楊小陽、小烏龜和白兔使者也趕緊走了回去。

他們剛走到大變形器前，就見梅花鹿保育員在撳按鈕，蜂鳴聲停止了，只見變形器徐徐張開巨大的口子，幾個袋鼠一蹦一跳地從裏面跳了出來。它們的皮毛還有點濕漉漉的，梅花鹿保育員給它們一個個披上了藍色的大浴巾，將它們引向旁邊一個密閉的房間。

白兔使者說：“它們還不習慣新環境，得在密室裏呆一會兒。”

楊小陽很奇怪：“你們既然能變形成各種各樣的動物，爲什麼不變形成人類呢？”

白兔使者說：“人類皮膚光潔，最難設計外形。但並不是說我們的技術達不到，而是我們出於對人類的尊重才不變形成人類的。因爲人類是地球上最有智慧的動物，創造了令我們尊重的文明，爲了與你們有所區別，我們才變形成其他動物的。因爲我們知道，我們遲早是要與你們進行交流互動的。”

楊小陽也被自己的想法嚇了一跳，心想：如果它們變形成人類，那我們根本不知道它們是外星生物，那樣該有多可怕呀，幸虧它們還不想變形成人類。這樣想著，便說：“你們這樣想太好了，我回去後一定跟我的朋友們說，你們是一群值得尊重的外星生物。它們肯定也想來看看的。”

白兔使者說：“我們會想辦法邀請他們的。”

楊小陽高興地說：“那太好了，他們會高興壞的。”

小烏龜在一旁晃晃小腦袋說：“那我又要忙活一陣子了。”

這時梅花鹿保育員走了過來，楊小陽便問：“那些袋鼠醫生怎麼樣了？”

梅花鹿保育員說：“它們很好，但還得在密室裏呆一會兒，然後就要去狗博士那裏接受培訓。”

楊小陽說：“原來是這樣變形的，你們的變形器好神奇啊。”

梅花鹿保育員說：“它可是我們的祖先反覆實驗才研製成功的，又經過後代的改良，才像現在這麼便捷。”

白兔使者插嘴說：“這裏就看的差不多了，咱們還是再看看別的項目吧。”

楊小陽雖然還想呆一會兒，但又覺得時間緊迫，就和小烏龜隨著白兔使者回到了先前的大廳。

第六章　動物島的議會

楊小陽、小烏龜、白兔使者又站在圓形大廳裏了。大廳空蕩蕩的。

楊小陽問白兔使者：“現在我們要去看哪裡呢？怎麼不見豬豬國王？”

白兔使者說：“一會兒國王陛下就會出來，它會告訴我們去哪兒的。”

正說著，獅子侍衛就一溜走了出來，豬豬國王緊跟著一搖一擺地走了出來。豬豬國王坐到了王座上，開口對楊小陽說：“現在，你看到了我們最初的樣子和我們的變形，有什麼想法嗎？”

楊小陽想了一下回答道：“我現在才知道原來我們是這樣得不同，原來你們來地球生活是這樣不容易。我對你們的變形器最感興趣。”

豬豬國王很感興趣地問：“爲什麼對變形器最感興趣呢？”

楊小陽說：“我覺得它大概是你們島上最重要的一個機器了，如果它出點問題，你們島上的生活豈不要大亂？因爲你們要不變形就無法在地球上生存啊。”

豬豬國王聽楊小陽這麼說，也若有所思起來。停了一會兒，它開口說：“這樣吧，我們島上的議會正在討論變形器的問題，你不妨去聽聽。”然後轉身對白兔使者說：“你帶楊小陽去議會參觀吧。”

白兔使者帶著楊小陽和小烏龜向著王座正對著的大廳另一邊的一扇門走去。

進了門，一個寬敞的圓形議會大廳呈現在他們面前。主席臺上正坐著一個河馬樣的動物，手持一個木棰，正在傾聽發言席上一個黑猩猩的發言，底下的座位上坐滿了各種各樣的動物，梅花鹿、白眉猿、長臂猿、狗、豹子、袋鼠等等都在其中。

白兔使者對楊小陽說：“主席臺上的就是河馬議長，正在發言的是我們島上的黑猩猩總工程師。”

楊小陽仔細一聽，黑猩猩總工程師正在說：“我們島上的變形器已經使用了 50 年，現在我們應該對它進行大修，大修的費用很高，快趕上建造一個新的變形器的費用了。所以我現在提請議會表決，是對變形器進行大修呢還是重新建造一個新的變形器？”

河馬議長敲了一下木棰，說：“現在，請贊成大修的表決。”

動物們紛紛揿了一下面前的按鈕，大廳上方的大螢幕就顯示出：反對票數 98，贊成票數 2，無棄權票。

河馬議長又敲了一下木棰，說：“下麵請贊成重新建造的表決。”

動物們又揿了一下按鈕，大螢幕顯示出：反對票數 2，贊成票數 98，無棄權票。

河馬議長一棰定音：“經議會表決，同意重新建造變形器，此議案將上報豬豬國王陛下批准後實施。”

這時，一個袋鼠跳上了發言席，對河馬議長一鞠躬，然後說："尊敬的議長閣下，尊敬的各位議員，下面我想就咱們島上動物們的體質狀況提出一個議案。"

河馬議長敲了一下木槌，說："請講，議員閣下。"

袋鼠議員說："大家知道，咱們在地球上生存是需要變形的，變形後咱們才能直接呼吸氧氣，變形時除了給咱們加上一層新的皮毛外，還需要對咱們的呼吸系統以及血液循環系統加以改造，以適應新的呼吸要求。變形後大家的身體情況 — 主要是呼吸系統和血液循環系統，它們的運作情況是與變形時的溫度與時間掌握相關的。而咱們變形時的溫度與時間是經過長期的摸索才確定下來的，大部分動物的變形溫度與時間是很合適的，只有豹子搬運工變形後呼吸系統還有一點點的不適應，可能與它們工作強度大，呼吸力度大、變化也大有關，現在，我建議撥出專款對豹子搬運工的變形時間與溫度進行微調研究，以改善豹子搬運工的呼吸系統，以使它們的身體更加強壯。"

這時，一個豹子議員也走上發言席，說："議長閣下、各位議員，我們強烈呼籲議會通過這個提案，如果我們的身體更加強壯了，我們會做更多的工作的。"

河馬議長敲了一下木槌，說："好。現在表決開始。"

結果大螢幕上顯示是全票通過。河馬議長又說："這個提案議會已經通過，等豬豬國王陛下批准後就開始實施。"

河馬議長喝了口水，又說："下面還有誰提議案？沒有的話，今天就休會了。"

一個樣子像棕熊的議員走上了發言席，說："議長閣下、各位議員，我是島上的伙食科長，咱們現在的食物分兩種，一種是變形後的食品，與地球上的人類吃得差不多；一種是變形前給幼崽吃的，是添加了各種營養成分的流質食物。變形後的食品種類豐富，大家吃得還滿意；變形前的食物，只有一種口味，幼崽們不得不吃。現在，我提議議會撥出專款，研製各種口味的流質食品，供幼崽們食用。”

梅花鹿保育員也走上來進行了呼籲。河馬議長又宣佈進行表決，結果又是全票通過，議案也準備提請豬豬國王批准。

議會終於休會了，議員們紛紛離開了議會大廳，河馬議長也站起了身。白兔使者快步跳上了主席臺，對河馬議長說：“我給你帶來了一個人類朋友 —— 楊小陽。剛才，我們已經旁聽了一下議會的表決情況，你再給他介紹一下動物島議會的大概情況吧。”

這時楊小陽和小烏龜也走了過來。河馬議長向楊小陽伸出了手：“歡迎你，楊小陽。”

楊小陽也很禮貌地說：“你好！議長閣下。”

河馬議長很和藹地對楊小陽說：“你想瞭解些什麼呢？”

楊小陽便問：“你們的議會成立多久了？有多少個議員？”

河馬議長說：“我們的議會從我們建島之處就成立了，剛開始只有二三十個議員，現在已經發展到一百個了。”

楊小陽又問：“議會多長時間開一次會？”

河馬議長說：“我們一星期開一次例會，如有特殊情況，還可以開特別會議。今天開的是例會。”

楊小陽又問：“你們的議案都會實行嗎？”

河馬議長說：“我們的議案還要報豬豬國王批准才能實施。”

楊小陽接著問：“豬豬國王會批准你們的議案嗎？”

河馬議長說：“絕大多數的議案都會得到批准，只有極個別遇到特殊情況難以實施的才會被否決。”

楊小陽說：“這下我明白了你們的運作情況。”

小烏龜在一旁說：“呵，你就像個小記者，什麼都問個清清楚楚。”

楊小陽很自然地說：“可不是，我在我們學校是小記者站的站長。”

白兔使者很高興：“想不到，我們還請了個小記者呢。要不要接著參觀呢？”

楊小陽說：“那當然好了，就是我有點餓了，能不能先吃點什麼？”

河馬議長聽楊小陽說餓，便熱情地說：“這樣吧，我請你到我們的議會餐廳用餐。”

楊小陽說：“那好吧。我就恭敬不如從命了。”

河馬議長帶著他們從主席臺右側的一個小門走進了議會餐廳。

餐廳中等大小，擺著二十多張圓桌椅。河馬議長挑了中間的一張圓桌坐下，拍了拍手，就有一隻羚羊服務員走了出來，它來到餐桌跟前問：“請問議長閣下，今天要點什麼菜啊？”

河馬議長說：“今天就請我們的人類朋友嘗嘗動物島的

‘全翅宴’。”

楊小陽好奇地問：“什麼是‘全翅宴’？”

河馬議長說：“就是地球禽類的翅膀做成的宴席。”

白兔使者咽了咽口水，說：“一流地好吃。我給你報報菜名：糖醋石斑雞翅、鮑汁野鴨翅、紅燒家鵝翅、山菌鵪鶉翅、椒鹽山雞翅、脆竹麻雀翅、什錦翅亂配……”

楊小陽平時最愛吃雞翅，聽它這麼一報菜名，不禁也咽起了口水。

羚羊服務員走進了操作間。等待上菜的時候，楊小陽和河馬議長聊了起來。楊小陽對河馬議長說：“議長閣下，我發現你們雖然是動物身，但都能直立行走，而且像人類一樣有一雙手，又不全像動物。這是怎麼回事？”

河馬議長呵呵地笑了：“我們畢竟是外星生物啊，也有高度的文明。我們變形成動物完全是爲了方便，不用做衣服嘛，我們當然得直立行走了，因爲這樣便於活動啊，我們不變形成人形，一方面是出於對人類的尊重，一方面也是爲了方便。你看，我們現在多方便呀，既不用做衣服，誰是做什麼的又一目了然。”

楊小陽聽了點了點頭，確實如此。

菜上來了，大家都不客氣地狼吞虎嚥起來。

吃完飯，楊小陽告別了河馬議長，又回到圓形大廳裏。

第七章　楊小陽生病了

楊小陽、白兔使者和小烏龜回到圓形大廳的時候，豬豬國王已經坐在了王座上。見楊小陽他們回來，豬豬國王說：“參觀得怎樣？現在，你對我們的議會有所瞭解了吧？”

楊小陽很高興地說：“是啊，我不僅瞭解了你們的議會，還吃了‘全翅宴’，收穫挺大。”

豬豬國王掏了掏耳朵，說：“收穫大就好。現在已經是我們動物島時間晚上 8 點鐘了，讓白兔使者招待你去休息吧，明天我們歡送你。”

說完，打了個哈欠，就起身離開自己的王座，向寢室走去。

白兔使者對楊小陽和小烏龜說：“我帶你們到客房去，請隨我來。”

白兔使者將他們帶到離豬豬國王寢室很近的一個門，門自動打開了。裏面是很寬敞的一個套房，白兔使者一拍手，裏面的燈全亮了，原來是聲控的。套房的外面是一個客廳，擺著一對橘紅的沙發和白色的茶几以及書桌，書桌旁有一個落地式臺燈，圓形的屋頂還有一個吸頂燈，門的兩側還有一對壁燈。裏面的房間則擺著兩個單人床，雪白的床單，床頭還有兩個白色床頭櫃。也是屋頂有吸頂燈、床頭櫃上有臺燈。再裏面還有一個盥洗室，馬桶淋浴一應俱全。楊小陽曾經和遙遙崽跟著舅舅和舅媽到城裏旅遊過，住過賓館，他看這動物島的客房就和人類的賓館差不多。

白兔使者對楊小陽說：“你們就在這裏休息吧，我明天早上來接你們。”

楊小陽對白兔使者道了謝，白兔使者便出去了。

小烏龜也不知什麼時候上了床，哼哼唧唧地對楊小陽說：“這裏可比植物島的禁閉室強多了，今晚，咱們可要睡個好覺了。”

楊小陽有些奇怪地說：“都是外星生物，而且，我一樣是它們邀請的客人，怎麼動物島比植物島對咱們要好許多呢？”

小烏龜晃晃腦袋，尖聲尖氣地說：“那有什麼奇怪，因爲你沒違反動物島的規矩。而且動物島也沒有人類居住，沒有那麼多事嘛！”

楊小陽想想也是，就說：“咱們洗洗睡吧。”

小烏龜嘟囔著說：“要洗你洗吧，我可不洗。”

楊小陽說：“不洗可真髒，你應當洗洗你的背甲。”

小烏龜不情願地說：“還是你先洗吧，你洗完了我再洗。”

楊小陽沖了個澡，躺上了床，小烏龜也去稀裏嘩啦地沖了一下，也爬上了床。燈漸漸暗了下來，一陣輕柔的音樂響了起來，楊小陽迷迷糊糊地快要睡著了。突然，一陣鑽心的疼痛由胃部襲上了全身，他不由得呻吟了起來。

小烏龜一個機靈醒了，忙問：“你怎麼了，楊小陽？”

疼痛一陣緊似一陣，楊小陽顫聲說：“我肚子疼。”

小烏龜著急地說：“你先躺著，我馬上去叫醫生。”說完，一眨眼就不見了。

不大一會兒，小烏龜、一個袋鼠醫生和白兔使者就都站在了楊小陽的床前。

袋鼠醫生問楊小陽：“哪兒疼？”

楊小陽呻吟著指了指胃。袋鼠醫生摸了摸他的胃，又用一種像是聽診器一樣的器械在楊小陽身上聽了個遍，然後說：“不要緊，像是著涼以後的胃痙攣，吃點治痙攣的藥就行了。”

袋鼠醫生從身上背的藥箱裏找出一包藥，白兔使者給楊小陽接了一杯水，楊小陽吃了一粒下肚，便躺下了。

袋鼠醫生說：“好好睡一覺，半夜再吃一粒，早上就會好的。”

白兔使者安慰楊小陽說：“這是我們島上最好的醫生，你好好吃藥就會好的。”

也許是心理作用，楊小陽吃下藥去後感覺好多了，就說：“不會影響我明天的安排吧？”

小烏龜趕緊說：“不會的，不會的，你沒聽醫生說明早就會好的，趕緊睡吧，半夜我叫你吃藥。”

袋鼠醫生和白兔使者都握了握楊小陽的手，道了再見，就離開了。楊小陽和小烏龜都睡了。

半夜的時候，小烏龜叫醒了楊小陽：“起來吃藥吧，楊小陽。”

楊小陽已經基本不疼了，但還是吃了一粒藥，然後又迷迷糊糊地睡著了。

早上的時候，楊小陽被一隻小爪子撓醒了，原來是小烏龜在撓他：“不疼了吧，楊小陽？”

楊小陽笑著說：“一點也不疼了。想不到外星醫生給人看病，還這麼好。”

小烏龜得意地說：“那當然，這些袋鼠醫生都經過嚴格的醫療培訓，而且，外星生物的身體構造，在變形後與人已經很相似了，所以它們也能看你的病。”

楊小陽點了點頭，說：“我還得謝謝你昨天替我請醫生。”

小烏龜笑著說：“咱倆誰跟誰，你就別客氣了。”

楊小陽撓撓頭，說：“也是。那咱們今天幹什麼？”

小烏龜說：“按時空擴壓法的計算，你可以參觀一星期，現在咱們已經出來 4 天了，今天咱們該離開動物島去水晶島了。不過，豬豬國王好像要爲你舉行一個歡送式。現在，我先弄點早餐咱們吃吃。”

小烏龜剛說完，一盤蝦餃和兩杯牛奶就擺在了他們面前，他們兩個就大口大口地吃了起來。

第八章　動物島的歡送式

吃過早飯，楊小陽就和小烏龜來到了圓形大廳，豬豬國王早就在王座上等候了。獅子侍衛和白兔使者以及袋鼠醫生也站在了兩旁。

見楊小陽出來，豬豬國王說：“聽說你昨天晚上病了，身體好些了嗎？”

楊小陽說：“完全好了，一點問題都沒有了。真得謝謝袋鼠醫生。”

袋鼠醫生謙和地說：“不用客氣，楊小陽，這都是我們分內的事。”

豬豬國王有些得意地說：“我們島上的醫生醫術很高，不但能治島上生物的病，連人類的疑難雜症都能治。”

楊小陽說：“太好了，我奶奶有腰腿疼的毛病，看了很多醫生都沒治好，不知能不能請袋鼠醫生給看看。”

豬豬國王沉思了一下說：“這病袋鼠醫生肯定能治，只是你奶奶那麼大歲數了，我們也不方便請她來這裏，沒法看呀。”

楊小陽有些著急，忽然他想了一個主意，便對袋鼠醫生說：“我奶奶來不了，那能不能請您去我們家看呢？小烏龜不是能去接我來，您肯定有辦法去。”

豬豬國王笑了：“你可真是個既孝順又聰明的孩子，一心想給奶奶治病，袋鼠醫生一定會答應你的請求出診的。對不對，袋鼠醫生？”

袋鼠醫生微笑著說：“醫生最大的樂趣莫過於治好病人的病，我倒是樂於出診，只是我們出島，一定要有太陽公公的手令才行，這就比較難辦了。”

楊小陽非常失望地說：“那您就不能給我奶奶治病了？”

豬豬國王和藹地說：“別著急，楊小陽，我會幫忙讓你和太陽公公聯繫上的。今天，你就要離開動物島了，大家都想給你送行。”

楊小陽感激地說：“謝謝國王陛下。”

豬豬國王擺擺手說：“不用客氣，在你離開我們動物島前，我們想給你看一下我們的足球表演賽。”

楊小陽在學校裏就很喜歡踢足球，聽說有足球賽當然很高興，便說：“太好了，我可是一個足球愛好者。”

豬豬國王拍拍手，只見大廳的地面上立即顯出了一個四方性的球場，球場的兩端自動升起了兩個球門。從球門後面大廳的兩個隱行門裏走出了一隊小白豬和一隊小黑豬，楊小陽數了數每隊各 8 個，大概就是球員了。緊跟著小白豬又走出了一個大黑熊，大概就是裁判了。它們走到球場中央，站好隊，一起向豬豬國王鞠躬，齊聲說：“向國王陛下致敬。”

豬豬國王揮揮手：“大家好，今天要爲我們的客人——來自海那邊的楊小陽表演，大家努力啊。”

豬豬國王又對楊小陽說：“今天咱倆打個賭，看到底誰贏。你是支持黑隊呢還是支持白隊？”

楊小陽問：“賭贏了會怎樣？”

豬豬國王說：“贏了我們就送你一個紀念品。”

楊小陽看了看黑隊，小黑豬們揮了揮手；他又看了看白隊，小白豬們叉了叉腰。他實在看不出哪個隊會贏，便猶豫了起來。

豬豬國王見楊小陽猶豫，微笑著說：“不要緊，隨便選一下，打個賭就是爲了讓你看得更有興趣一些罷了。”

楊小陽便說：“好吧，我支持黑隊。”

豬豬國王一揮手：“好吧。那我就支持白隊。比賽正式開始。”

只見黑熊裁判站到了球場的中間，舉起了一個黑白相間的球，黑白兩隊的小豬站好了位，各選出一個球員站到了黑熊裁判的身邊，黑熊裁判一吹哨，小黑豬就跳了起來將球撥到了自己隊一邊。楊小陽很奇怪，說的是足球比賽，可開場卻是籃球式的。而且小豬們打球都是手腳並用，怎麼能搶到球怎麼來。它們的隊員各有 8 個，與人類足球的 11 名隊員也不一樣。

楊小陽正想著，只聽豬豬國王大叫了一聲：“好！打得好！”原來是白隊打進了一個球，楊小陽便把注意力集中到了球場上。

黑隊的隊員因爲丟了一球，拼命地反擊。一個小黑豬從白隊手上搶到了球，抱起球來就直向對方球門沖去，它越過了白隊的圍追堵截，將球打進了白隊的球門，把比分扳成了 1 比 1，楊小陽高興地大叫了起來：“太好了！打得好！”小烏龜在一旁也高興地大叫：“打得好！加油！”因爲它希望黑隊贏了，楊小陽好得一個紀念品。

獅子侍衛和袋鼠醫生則興奮得直跺腳。球場上爭奪得更起勁了，不是白隊進球就是黑隊進球，一會 2 平，一會 3 平，最後，黑隊以 8 比 7 險勝白隊。楊小陽和小烏龜都很興奮。

球場的中間自動升起了一個頒獎台，響起了一種類似進行曲的音樂。白兔使者高聲說：“請豬豬國王爲獲勝球隊頒獎。”

豬豬國王搖搖擺擺地走下王座，8 個白兔同時托著獎牌走到頒獎台下，豬豬國王從它們手上接過獎牌，一一爲黑隊隊員掛上。豬豬國王又一一和它們握了握手，又搖搖擺擺地回到王座上。

白兔使者又大聲說：“現在請球員們退場。”

小黑豬小白豬以及白兔們都退了下去，大廳又回到了原來的樣子，好象什麼也沒發生過。

豬豬國王微笑著對楊小陽說：“剛才看比賽你贏了，我們得遵守諾言，送你一個紀念品。”說完，又轉身對白兔使者說：“你看，我們送什麼給楊小陽呢？”

白兔使者說：“咱們動物島不是有紀念徽章嗎，又輕便好帶又有意義，送一枚不是很好嗎？”

豬豬國王點點頭：“這個主意很好。”說完，便拍拍手，一個小白兔托著一個托盤走了出來。

小白兔走到豬豬國王跟前，豬豬國王拿起一枚拇指肚大小的紀念章對楊小陽說：“喏，這就是我們島上的紀念徽章，只有我們動物島上的居民才有，現在送給你，你就是我們動物島的榮譽居民了。”

楊小陽接過紀念章一看，這是一枚黑灰相間的圓形章，中間是灰色的外星生物幼崽圖，四周用亮亮的黑色打底，看上去漂亮極了、也酷極了。楊小陽將它們小心地放在口袋裏，說："謝謝你們送給我這麼漂亮的章，能成爲動物島的榮譽居民，我非常高興。"

楊小陽話音剛落，圓形大廳突然暗了，四壁上出現了白眉猿博士、長臂猿博士、狗博士、梅花鹿保育員以及河馬議長等等的影像，它們一齊朝楊小陽揮著手，說："楊小陽，歡迎你成爲動物島的榮譽居民。我們歡迎你再來。"

它們揮著手，影像漸漸淡去。突然，四壁黑了下來，大廳裏鴉雀無聲。楊小陽感覺有點害怕。大廳裏還是鴉雀無聲，楊小陽忍不住叫了一聲："小烏龜，你在哪裡？"

這時，四壁漸漸亮了起來，一個巨大的灰色圓形飛行器出現在影壁上，飛行器不停地旋轉著，發出"嗡嗡"的轟鳴聲。一會兒，轟鳴聲停了下來，一個低沉的聲音傳了出來："我是太 — 陽 — 公 — 公，你有什麼請求嗎，楊小陽？"

楊小陽這才知道，原來這是太陽公公，也顧不得害怕了，就趕緊說："我希望您能發個手令給袋鼠醫生，允許它出島給我奶奶治病。"

那個低沉的聲音又傳了出來："你是個孝順的好孩子，我們對你這幾天的表現也很滿意，我們答應你的請求，等你參觀完了，回家慢慢等著，袋鼠醫生自然會去的。"

楊小陽非常高興，說："謝謝太陽公公，真是太感謝了，我奶奶一定會高興壞了的。"

聲音又傳了出來："我們也很高興爲你們做點事。你還有什麼請求？"

楊小陽忽然想起了海上夜叉的事，就說：“我來的時候，遇到夜叉搗亂，差點把我翻下海去，我想，這樣對來島參觀的客人會留下多不好的印象，您能不能想辦法安置一下它們呢？”

整個大廳寂靜了一會兒，聲音又傳出了：“楊小陽，你真是一個好孩子，我們會想辦法的，你就安心參觀吧。”

聲音消失了，飛行器也消失了，大廳漸漸地亮了起來，楊小陽心裏很愉快，太陽公公並不可怕，還挺通情達理，可惜看不見它什麼樣子。但他覺得自己這趟旅行挺值，最起碼給奶奶找了個醫生。

楊小陽正想著，豬豬國王開口了：“既然太陽公公已經答應了你的請求，我自然會在你回去後派袋鼠醫生去給你奶奶治病的。你就放心地去水晶島參觀吧。時間有限，我們也就不多留你了。”

袋鼠醫生也在一旁說：“你就放心地走吧，我抽時間會去的。”

告別了豬豬國王、獅子侍衛以及袋鼠醫生，楊小陽和小烏龜、白兔使者一起走出了圓形大廳，走在了來時的小路上。天氣出奇得好，被太陽一曬，楊小陽打了個噴嚏。

它們一直走到海邊，白兔使者跟他們告了別，小烏龜又變成了橡皮艇載著楊小陽離開了動物島。

楊小陽的假期之水晶島

第一章　水下宮殿

橡皮艇載著楊小陽離開動物島，飛馳在波光粼粼的海面上，太陽高高地掛在空中，暖暖地照著，海風輕輕地吹拂著，依然是楊小陽熟悉的鹹腥味。橡皮艇行駛得很平穩，楊小陽很舒服地坐在裏面。 楊小陽忽然想起了那些夜叉們，便問：“小烏龜，那些夜叉還會出現嗎？”

“不會了，它們一星期才出現一次。再說，你已經跟太陽公公說過了，太陽公公正在安置它們呢。”

他倆正聊著，忽然，一個熟悉的聲音傳了過來：“你好！楊小陽。”

楊小陽一抬頭，原來是三個島的守門人白海豚又來了。連忙招呼道：“你好！白海豚。”

白海豚晃晃腦袋，很友好地說：“參觀得很順利吧，楊小陽？”

楊小陽很愉快地說：“很順利。我們正要去水晶島。”

說話間，前方隱約現出一個島的輪廓，楊小陽想，這可能就是水晶島了，正想著，只聽白海豚說話了：“前面就是水晶島了，你們自己去吧。祝你玩得開心，楊小陽。”說完，就遊遠了。

楊小陽想，這次旅行的最後一站就要到了，它會是什麼樣子的呢？

正想著，橡皮艇就駛到了岸邊。與植物島、動物島不同，水晶島是四周由一圈高高的珊瑚礁圍繞的一個瀉湖。瀉湖的水瓦藍瓦藍的，水面很平靜。

這個島可怎麼參觀法呢？楊小陽奇怪著。只見橡皮艇從珊瑚礁的一個缺口駛進了瀉湖，橡皮艇的上面升起了一個玻璃罩子，將楊小陽罩在了裏面，楊小陽好象坐在了一個潛水艇裏。罩上了玻璃罩子的橡皮艇一頭紮進了瀉湖。

楊小陽害怕得叫了起來：“你要幹什麼呀，小烏龜。”

一個悶聲悶氣的聲音傳了過來：“我要帶你去水晶島的水下宮殿。”

橡皮艇潛了下去，水的顏色逐漸變深了，楊小陽仔細地觀察著，只見水裏遊著各種各樣、五顏六色的魚兒，一點也看不出與一般海底的不同。

突然，橡皮艇輕輕地撞上了一堵玻璃牆。玻璃牆是透明的，如果不是橡皮艇撞了一下根本看不出來。玻璃牆自動開了一道門，橡皮艇迅速躍了進去，一些湖水也湧了進去。

原來，這是一個水下進口，橡皮艇停在了一個水池中，裏面一個水泵正在往外排剛才湧進來的水，橡皮艇靠上了水池對著門的一邊，玻璃罩打開了，楊小陽覺得呼吸自由了。

一隻樣子像海豹、卻又比海豹苗條靈巧的動物站在水池邊，它向楊小陽伸出了手，將他拉上了岸，它長的不是鰭而是兩隻手！

一眨眼，橡皮艇不見了，小烏龜爬在了楊小陽的腳邊。

海豹笑眯眯地對楊小陽說："你好！楊小陽。歡迎你到水晶島來，我是水晶島的嚮導 —— 海豹使者。"

楊小陽也笑嘻嘻地回答："你好！海豹使者。很高興能來水晶島參觀。"

海豹使者說："請隨我來。"

說完，一轉身，它身後的一扇玻璃門又自動開啓了，海豹使者一搖一擺地走了進去，楊小陽和小烏龜也跟了進去。

原來，裏面是一個巨大的玻璃大廳，雖然在水下，卻沒有一滴水。頭頂上，能看見藍色的湖水和五彩繽紛遊動著的魚兒。

玻璃大廳是圓形的，腳下是一層乳黃色塑膠地板，踩上去還有彈性。裏面很明亮，就像在陸地上的大白天裏一樣。楊小陽一點也沒覺得自己是在水下，一開始的不適與緊張也煙消雲散了。

大廳的正中間，擺放著一座碩大的白色珊瑚礁，像一座寶塔一樣快頂到了大廳的頂部。珊瑚塔的後面是一排高大的水晶房子，裏面影影綽綽的，看不清楚有什麼。海豹使者帶著楊小陽和小烏龜向這座白色的寶塔走來。

快走到"寶塔"跟前，楊小陽看清了：原來這座巨大的珊瑚礁的下面，擺放著一個水晶的王座，上面端坐著一個像企鵝一樣的戴著王冠的動物。王座下面分兩邊站著 8 只和海豹使者一樣的"海豹"。

海豹使者走上前去一鞠躬，說："企鵝王陛下，楊小陽來了。”

企鵝王還是端坐著，嘴巴裏發出了一種尖細卻並不難聽的聲音：“你好！楊小陽，歡迎你到我們水晶島參觀。”

楊小陽大大方方地說：“你好！企鵝王陛下，很高興能來水晶島。”

企鵝王又說：“你已經參觀了植物島和動物島，瞭解了很多事情。到了這裏來，真不知道該給你看什麼。”

楊小陽很隨意地說：“隨你們方便，能看什麼我就看什麼好了。”

企鵝王“唔”了一聲，沉思起來。

這時， 小烏龜有些著急了，說：“咱們不是有水下噴泉演示和花車大遊行嗎？可以給楊小陽看看呀。”

企鵝王聽了沒有立即回答，它沉吟了一下，然後說：“楊小陽已經看過了植物島和動物島的歡迎式了，還會對咱們的演示和遊行感興趣嗎？”

小烏龜連忙轉頭對楊小陽說：“楊小陽，你願意看嗎？”

楊小陽爽快地說：“當然願意了。我來這兒就是爲了多看點東西的。”

企鵝王見楊小陽這麼說，便道：“既然這樣，我們就演示給你看吧。”

說完，企鵝王拍了拍手，一把水晶椅子就從地下升起在王座旁邊，企鵝王對楊小陽說：“請坐吧。”

楊小陽坐了上去，只覺得涼爽宜人，非常舒適。

企鵝王又拍了拍手，一陣輕柔的音樂響了起來，珊瑚塔前面的地面陷了下去，形成一個巨大的水池，音樂的聲音大了一些，水池中沖起一排巨大的噴泉。原來這是一個音樂噴泉，隨音樂的節奏而變化。

音樂時高時低地響著，噴泉隨著音樂而高低變化著。大廳裏的燈光也變成了五彩的，時閃時現，像彩虹一樣美麗。噴泉被燈光映得像五彩的水霧，朦朧變幻，好看極了。大廳頂部聚集了一片片五顏六色的魚群，好像也在看熱鬧，非常壯觀。

楊小陽看得入迷了。

十幾分鐘過去了，音樂漸漸停了下來，噴泉也漸漸停了下來，大水池倏地不見了，燈光也恢復了自然光，大廳裏一片寂靜。

大約過了三分鐘，響起了一陣喧鬧聲，從白色珊瑚塔後面繞出了一輛花車。

這輛花車被三層紅白黃玫瑰裝飾，上面坐著三個樣子像“人魚”的“姑娘”，說它們是“人魚”，是因爲它們長著人類女性的頭部和上身，下身卻是魚身魚尾，長著青色的鱗片。

楊小陽還是在童話書裏看過“人魚”的故事，親眼看到人魚還是第一次。不禁瞪大了眼睛，多看了幾眼。

只見“人魚”們一邊向楊小陽招手，一邊向企鵝王拋著飛吻，把楊小陽嚇了一跳。

第一輛花車開始繞場一周，第二輛花車又從珊瑚塔後面出來了。這輛車被粉紅的薔薇花裝飾著，上面坐著三個“海象”——它們只是長得像海象，但比海象體形要稍小一點，通常長鰭的地方長著一雙手，和這裏的海豹使者一樣。

楊小陽因爲這幾天看多了，也不覺得有什麼奇怪的，而是很大方地向海象們招了招手。海象們則在花車上又唱又扭，嗓音粗粗的，也聽不清它們唱些什麼。

第三輛花車由黃色的鬱金香裝飾，上面坐著三個樣子像海馬，實際體形比真海馬要大上許多倍，和海豹差不多大的“海馬”。這些海馬們也長著手，敲著軍鼓，聲音沙啞地大聲唱著什麼，樣子很快樂。

第四輛花車由白色的百合花裝飾，上面坐著三隻海獺。海獺們也長著手，舉著花環向企鵝王和楊小陽揮舞，嘴裏發出：“汽 — 柱，汽 — 柱，汽 — 柱，汽 — 柱……”的聲音。

楊小陽一開始沒弄明白“汽柱”是什麼意思，但過了一分鐘，便猜出：“汽柱”大概就是“慶祝”，只是海獺們發音不準確罷了。

第五輛花車由綠色的菊花裝飾，上面立著三隻巨大的海螃蟹，它們和一般的海蟹長得差不多，只是個頭要大許多倍。它們用兩隻蟹鼇夾著一個紅色的條幅，上面寫著“熱烈歡迎”四個字。

第六輛花車由白色粉色的君子蘭裝飾，上面爬著三隻大海龜。它們懶懶地伸著頭，東張西望。花車上安著一個擴音器，放著舒緩的音樂。

第七輛花車由桃紅色的芍藥裝飾，上面坐著三隻長著手的海獅。它們打著手鼓，很高興地發出“嘶 — 嘶”的叫聲。

第八輛花車由紅色的山茶花裝飾，上面坐著三隻長著手的海狗。它們吹著橫笛，身體不停地扭動著，很興奮的樣子。

第九輛花車由白色的玫瑰花裝飾，上面坐著三個長著手的北極熊。上面放著一個大定音鼓，每個北極熊都拿著一隻鼓棰敲打著鼓面，發出一陣陣滾雷似的樂音。

九輛花車繞場一周，楊小陽饒有興致地看著。很快，花車都退回到珊瑚塔的後面去了。

大廳變得一片寂靜，突然，一陣“呦 — 呦”鳥鳴傳出，一大片海鷗飛過大廳上空，整個大廳頓時暗了下來。它們盤旋了幾分鐘，倏地都落了下來，在珊瑚塔的對面組成一排圖案。楊小陽仔細一看，原來海鷗們組成了幾個中文字：“歡迎你，楊小陽”。

楊小陽心裏塌實下來，心想：原來水晶島也很歡迎我呢。

企鵝王朝海鷗們擺了擺手，只聽一陣“刷拉拉”的扇動翅膀聲， 海鷗們全都飛走了。

企鵝王朝楊小陽點了點頭，問：“喜歡我們的花車遊行嗎？”

楊小陽也朝企鵝王點點頭，回答：“非常喜歡。”

企鵝王很高興，便拍了拍手。

海豹使者端來了一個黑漆鑲金邊的方盤子，裏面放著四個紅漆金邊的小碟，小碟裏放著粒狀的食品。企鵝王示意海豹使者將盤子端到楊小陽跟前。

企鵝王對楊小陽說：“請品嘗我們的小零食。”

楊小陽見小零食的顏色很柔和漂亮，就忍不住用手指夾了一粒淡黃色的零食放進嘴裏，一嚼，鹹鮮可口，味道像海螺肉。楊小陽依次嘗下來，其他的原來是鰻魚粒、瑤柱粒和蟹肉粒。

楊小陽不好意思多吃，只吃了幾粒就停下來了。

這時，小海龜在一旁著急了，嚷道：“怎麼不給我吃呢？”

企鵝王笑了，說：“趕緊請小烏龜品嘗。”

海豹使者將盤子端到小烏龜面前，小烏龜不客氣地扒拉了起來，一眨眼，就吃了個精光。

企鵝王微笑著看著小烏龜，問：“還要吃嗎？”

小烏龜抹抹嘴，有點不好意思地說：“不吃了，不吃了。”

海豹使者端走了盤子。

等海豹使者回來，企鵝王對它說：“現在，你帶楊小陽四處看看吧。”

海豹使者朝企鵝王鞠了個躬，說：“是。國王陛下。”然後，對楊小陽和小烏龜說：“請隨我來。”

第二章　地球海洋生物救護院

海豹使者帶楊小陽和小烏龜繞到了珊瑚塔的後面，那排高大的水晶房子便矗立在眼前。海豹使者帶他們朝最左邊的房子走去。

門自動打開後，裏面也是一個很大的廳。一進門是幾個被隔成小空間的辦公區域，一些北極熊在裏面忙碌著。這些辦公區域都是敞開的，透過去，可以看到大廳的中間是一個巨大的水池。

這時，一隻北極熊走了過來。海豹使者對楊小陽介紹道："這是我們水晶島'地球海洋生物救護院'的北極熊院長。"又對北極熊院長介紹道："這是今天來的人類朋友楊小陽。"

北極熊院長向楊小陽伸出了手："你好！楊小陽。歡迎你來參觀。"

楊小陽也伸出了手："你好！院長先生。"

北極熊院長帶楊小陽他們來到一個辦公間，裏面擺了一張辦公桌和幾把椅子。

"請隨便坐吧。"北極熊院長對他們說。

楊小陽他們剛坐下來，一隻海狗就一搖一擺地進來了，它徑直走到北極熊院長跟前說："院長閣下，昨天救回的逆戟鯨已經能進食了，可能很快就能康復。"

北極熊院長很高興地說："太好了！太好了！我一會兒

帶客人去看看。”

海狗瞅了一眼楊小陽，說：“你們人類真是該殺，整天殘害生命。還像模像樣地來參觀，真是說一套做一套。”

楊小陽被它說得丈二和尙摸不著頭腦，楞在了那裏。

小烏龜急了，替楊小陽說：“人類也不都像你說得那樣，他們也有人在做保護生物的工作。再說，楊小陽從來也沒做過殘害生命的事。怎麼能這樣說楊小陽呢？”

聽小烏龜這麼一說，海狗又對楊小陽說：“對不起，我錯怪你了。我還得去救護逆戟鯨，咱們得空再聊。”說完，又一搖一擺地走了。

楊小陽楞楞地看著它走出去，心裏覺得怪怪的。

北極熊院長見楊小陽有點發愣，便說：“海狗就是直性子，有什麼說什麼，你別介意。”

楊小陽便問：“海狗爲什麼對人類有那麼大的意見呢？”

北極熊院長歎口氣說：“這也確實不怪海狗，你們人類確實在破壞地球海洋生態。每年都要捕殺大量的鯨、大量的鯊魚，破壞珊瑚群，過度捕撈魚類資源，讓地球的海洋生態越變越糟。我們雖然是來自外星的生物，但我們來到地球也有上千年的歷史，我們不忍看著人類這樣糟蹋地球，就專門成立了這個地球海洋生物救護院，專門救護被人類傷害瀕臨死亡的海洋生物。”

楊小陽聽了北極熊院長的一席話後心裏很慚愧，好像自己幹了什麼壞事似的說不出話來。他知道，北極熊院長說的都是事實。學校裏曾經放過一部環保紀錄片，講的就是人類的亂捕亂殺以及過度的人類活動對地球的陸路和海洋生物所造成的危害。他也知道，爸爸媽媽現在出海捕到的魚是越來越小、種類也越來越少了。想不到，這些外星生物也這樣重視地球的生態環境，人類可真該反省了。

楊小陽難過地低下了頭。

北極熊院長見楊小陽難過，就說：“孩子，咱們大家的心情都一樣，你別難過了。咱們現在還可以聯合起來和破壞環境的人和現象鬥爭，讓咱們的地球生物都能生存下去。好嗎？”

楊小陽說：“我們學校也有環保小組，我回去就參加他們的活動，把你們的想法對他們說一說，保證大家更有幹勁。”

北極熊院長很高興，拍了拍楊小陽的頭說：“很好，孩子。這也是我們請你來的目的。下面，我帶你去看看我們昨天剛搶救回來的逆戟鯨。”

北極熊院長帶楊小陽他們來到大水池旁，只見水池裏一條逆戟鯨正在緩緩地游動著。幾隻海狗正在圍著它忙碌著。

楊小陽仔細一看，原來這條逆戟鯨身上受了傷，幾隻海狗正在給它注射藥物。

北極熊院長對楊小陽說：“昨天一艘人類的捕鯨船正在捕殺這條逆戟鯨，恰巧被我們的海洋巡視員海象發現了，就將它救了回來。現在正在對它進行治療呢。”

這時，一隻海象過來，對北極熊院長說：“報告院長閣下，我們又救回一條藍鯨，已經養在了隔壁的水池中。”

北極熊院長問：“傷勢重不重？”

海象說：“不重。只受了點輕傷。”

北極熊院長鬆了口氣，說：“先讓海狗們給它清理傷口，我一會兒再過去看看。”

海豹使者見狀說：“院長閣下，您忙的話，就讓我帶楊小陽參觀，您忙您的吧。”

北極熊院長撓撓頭，說：“這幾天救回的海洋生物特別多，我還得各處去看看，就讓我的助理陪楊小陽吧。”說完，回頭拍了拍手，一隻個頭小一些的北極熊走了過來。

北極熊院長介紹道：“這是我的助理，下面就讓它陪你們吧。”

等北極熊助理和楊小陽他們都握了手，院長就離開了。

這時，海狗們給逆戟鯨打完針，都從水池中上來了。它們紛紛圍到了楊小陽周圍。剛才那只海狗也在其中。它有些激動地對楊小陽說：

“你看，這條逆戟鯨傷得多重啊。都是人類捕鯨船幹的好事！楊小陽，你回去可一定得好好呼籲呼籲，不能讓人類再幹這種事了。”

其他的海狗也七嘴八舌地對楊小陽說：“是的，人類可不能再幹這種事了。我們都得好好愛護地球。”

楊小陽被海狗們說的有點面紅耳赤，小烏龜見狀，說：“你們別爲難楊小陽，這不干楊小陽的事。”

楊小陽也很激動，說：“這些事雖然不是我幹的，但我也是人類的一分子，我爲那些人的行爲羞愧。我回去一定要和學校環保小組的同學一起呼籲：禁止捕鯨、禁止捕殺鯊魚。”

小烏龜興奮得直搖頭，說：“太好了！太好了！楊小陽就是有正義感。”

楊小陽被小烏龜說得臉紅了，急忙擺手說：“我還沒做什麼呢。你先別誇我。”

海狗們在一旁理解地說：“你雖然沒做什麼，但有這個態度就好。”

海豹使者也說：“你這樣說，讓我們知道人類中也有許多有正義感的人。其實，我們早就知道人類中也有許多有志之士在做環境保護的工作，但連你們學校也有環保小組，我們還是第一次聽說。你也能加入其中，我們太高興了。”

楊小陽說：“不光我參加，我還要動員我的小表弟遙遙崽和好朋友王小建一起參加。”

海狗們興奮地直拍手：“太好了！楊小陽，你真是好樣的。”

大家的情緒都非常高，北極熊助理便問楊小陽：“有一頭虎鯊傷已經養好了，我們準備把它放回大海，你去看看嗎？”

楊小陽很爽快地說：“去。”

於是，海豹使者、楊小陽、小烏龜就告別了海狗們，和北極熊助理向水池後面的另一個房間走去。

一進門，又是一隻海狗迎了過來，一一和他們打了招呼。

楊小陽抬頭一看，原來這也是一個大廳，中間有一個大水池。一頭虎鯊在水池中遊動著。

這時，幾隻海狗抬著一隻大鐵籠走了過來，它們讓虎鯊鑽進鐵籠，水池的底部便打開了，一眨眼，鐵籠和虎鯊就不見了蹤影。

楊小陽著急地問："你們把虎鯊放到哪里去了？"

北極熊助理微笑著說："別擔心，我們是把它放回到它原來生長的地方了。這個水池的底部和海是連著的。鐵籠裏裝著自動推進器，將虎鯊從這裏送回到它生長的地方後，就自動打開，待虎鯊游出來後，鐵籠又會自動回來的。"

楊小陽恍然大悟，原來是這樣啊。他佩服地說："你們想得可真周到啊。"

海狗們說："我們進行地球海洋生物保護也有很長時間了，這都是邊做邊積累起來的經驗，以後還會越來越好的。"

海豹使者在一邊說："只要我們還在地球上，我們就一定要繼續做這樣的事，把人類對地球海洋的破壞降到最低。"

楊小陽聽了覺得有點不自在，便說："人類也會改變的，我們也會努力阻止那些破壞行爲的。"

北極熊助理說："那好，我們一起努力吧。"

小烏龜搖著腦袋激動地說："只要我們共同努力，海洋環境就一定會得到保護的。"

海豹使者說："確實這樣，我再帶你們參觀一個地方，你們就會瞭解我們正在做什麼了。跟我來吧。"

第三章　水晶島實驗室（一）

海豹使者帶楊小陽和小烏龜走出海洋生物救護院，來到珊瑚塔後面的一排水晶門前，從左邊第二個門進去，又來到一個大廳。迎著大門的地方也是隔成了幾個辦公區域。他們剛走進去，一隻海象搖搖擺擺地迎了出來。

海豹使者和海象握了一下手，說：“你好！海象主任。我給你們帶來了一位人類朋友 —— 楊小陽。”

海豹使者又對楊小陽介紹道：“海象主任是我們水晶島實驗室的主任，我們這個實驗室研究的內容可豐富了，一會兒讓海象主任詳細地給你介紹一下。”

海象主任對楊小陽說：“歡迎你。楊小陽。我可是有很多話要對你說啊。”

小烏龜在一旁說：“我可是餓了，你們還是先弄點吃的給我們吧。”

海象主任連忙說：“好的，好的。你們先到我們的待客室坐一下。”

說完，便領著楊小陽他們來到大門旁邊的一個區域。

這是一個藍色區域，一張辦公桌是深藍色的，一排沙發也是深藍色的，沙發前面擺放著一個銀灰的金屬茶几。牆體則是水晶的，反射著晶瑩的藍光。

海象主任把楊小陽他們讓到沙發上坐下，撳了辦公桌上的一個按鈕，一隻小海象就一搖一擺地拎了一個黑漆的食盒進來。小海象打開食盒，將幾盤菜和幾碟點心擺在了茶几上，然後又擺上了幾雙筷子。

沒等楊小陽拿筷子，小烏龜早已迫不及待地上了茶几，開始吃菜。海象主任對楊小陽說：“趕快吃吧。別客氣。”

楊小陽便拿起了筷子，夾了一口紅燒魚到嘴裏，一嘗，魚肉軟嫩，鹹甜適口，就又吃了一口。

海豹使者在旁邊說：“這是紅燒石斑魚，你多吃點。”

其他的菜也都是海味，很合楊小陽的口味，點心也很精美，楊小陽很快吃飽了。

等小烏龜也打了飽嗝，下了茶几，小海象就過來將剩菜及餐具收拾走，茶几上又光亮如新。

海象主任坐在了辦公桌前，微笑著問：“吃好了？”

楊小陽摸著肚子說：“吃得可飽呢。”

海象主任說：“吃飽就好，咱們開始談正事吧。”

楊小陽心想，什麼正事呢？該不是要介紹它們實驗室正在幹什麼吧？便說：“你們這個實驗室是研究什麼的呢？”

海象主任說：“你可問著了，我們這個實驗室研究的問題和地球的生存息息相關。”

楊小陽的好奇心一下被吊了起來，忙問：“那是什麼問題呢？”

海象主任吸了吸鼻子說：“我們正在研究全球氣候變暖對地球生態環境的影響。比如，現在的重點問題就是北極冰川的融化對海平面上升的影響。”

楊小陽在學校的環保電影裏也看到過對這個問題的描述畫面，便說：“我們人類也正在研究這個問題，海平面上升，會淹沒許多沿海城市，有些島國將會從地球上消失。我們人類也很憂慮呢。”

海象主任說：“我們也知道你們也很重視這個問題。據我們的研究，50 年後，海平面的上升就會對人類生活發生影響。我們正在研究如何阻止北極冰川以及南極冰蓋的融化。”

楊小陽一聽便很高興，問：“你們研究出了什麼好辦法？”

海象主任擠了一下眼睛說：“我們正在研究一種無毒無害、對地球生物不會造成影響的製冷劑，將它們撒在南極冰蓋和北極冰川上，不讓它們融化，這樣海平面也就不會上升了。”

楊小陽感激地說：“那真得謝謝你們了。”

海象主任嚴肅地說：“這只是個補救的辦法，最主要的，你們人類得改變自己的生活方式，減少溫室氣體的排放。”

楊小陽也嚴肅起來，說：“我回去後一定和環保小組的同學說，要好好宣傳一下這個問題。”

海象主任說：“咱們得共同努力。我們的製冷劑已經研究出來，是無毒無害的，只是製冷穩定性還沒達到標準，正在改進。”

楊小陽有些著急地說：“那你們得用多長時間才能研究出來呢？”

海象主任說：“快了。我估計，用你們人類的時間計算，大約半年左右就會成功的。”

楊小陽舒了口氣，說：“那可太好了。”

海象主任微笑了一下說：“製冷劑的製冷效果只能維持

幾個月，如果人類還是大量排放溫室氣體的話，氣溫上升，冰川還是會融化。製冷劑只起緩解作用，最根本的還在人類生活方式的改變。所以，我們希望你們的環保小組要好好宣傳一下這個問題。”

聽海象主任這麼說，楊小陽又皺上了眉頭：“我知道，最根本的解決辦法還得靠我們人類自己。你們只能幫我們緩解一下危機。我們的環保小組一定會盡最大努力宣傳的。”

海象主任微笑著說：“這就好。我先帶你去看看我們研究的製冷劑。”

楊小陽也很想看看這種製冷劑，便從沙發上站了起來，和小烏龜、海豹使者一起，跟著海象主任走出了藍色辦公區域。

海象主任帶他們來到實驗室中間的一個橘色操作間。操作間的一半被三個連著的大不銹鋼罐佔據著，其餘一半，圍著一圈橘色操作臺，幾隻海馬正在操作臺上忙碌著，另外幾隻海馬正圍在大不銹鋼罐前，往外取著什麼。

一隻個頭大些的海馬走了過來，海象主任和它握了握手，問：“博士，今天的實驗有進展嗎？”

海馬博士說：“有進展，穩定性更好的製冷劑正在出爐。一會就拿過來了。”

海象主任又介紹道：“我給你們帶來了人類朋友楊小陽，他很想瞭解製冷劑的研製情況。”

海馬博士和楊小陽握了握手，說：“你好！歡迎來參觀。”

這時，圍在大不銹鋼罐前的那幾隻海馬，拎著一個和水桶差不多大的不銹鋼桶過來，裏面裝滿了白色的像雪一樣的東西。

海馬博士對楊小陽說：“這是我們新製作出來的製冷劑，我們過來看一下效果。”

海馬們把製冷劑放到了工作臺上，海馬博士取出一個大玻璃燒杯，裏面裝了半燒杯水，海馬博士舀了一小勺製冷劑進去，只見製冷劑融化在裏面，並無變化。海馬博士又取出一張試紙在水裏面沾了沾，取出試紙還是原色，並無變化。海馬博士喜上眉梢，又取出一個玻璃燒杯，裏面裝了半杯冰，海馬博士又舀了一小勺製冷劑進去，把燒杯放到了一個實驗箱裏去。

楊小陽很奇怪，這製冷劑不是也不製冷嗎？放到水裏也沒有任何變化，有什麼神奇的呢？

正想著，海馬博士就對大家說：“我們的製冷劑已解決了遇水結冰的問題，但在零上溫度中能保證冰塊多長時間不融化還需要實驗。”

楊小陽還是有點不明白，便問：“爲什麼你們的製冷劑遇水不結冰呢？”

海馬博士自豪地說：“這正是我們的製冷劑神奇的地方。你想，如果製冷劑撒到北極，海水都結冰了，水裏的海洋生物豈不是沒法存活了嗎？我們的製冷劑只保證冰川在零上溫度時不融化。”

楊小陽恍然大悟，高興地說：“你們想的真是太周到了，我代表人類先謝謝你們。”

海象主任也對海馬博士說：“祝賀你們的新進展，下一步就要延長冰塊不融化的時間了。”

小烏龜在一旁著急地說：“等製冷劑研製好了，我也要到北極去撒上一把製冷劑。”

海象主任彎下腰拍拍小烏龜的腦袋，說：“別著急，到時自然少不了你。”

大家開心地笑了起來。

海象主任對楊小陽說：“製冷劑的情況你已經瞭解了。還想看什麼呢？”

楊小陽問：“你們實驗室除了研製製冷劑外，還研究什麼？”

海象主任說：“製冷劑只是我們的重點項目之一。除了研究地球的生存狀態，我們還研究我們自身的生存問題，比如，我們研究變形對我們身體的影響，我們還在尋找離地球最近的與我們來地球前居住的星球環境相同的星球，我們準備再回到外星球去。還比如，我們也研究與人類接觸的最佳方式，邀請你來，就是我們的嘗試之一。”

楊小陽好奇地說：“你們還準備再回到外星球去，爲什麼你們要尋找新的星球而不回到原來的星球呢？植物島的外星植物可是要回它們原來的星球的啊。”

海象主任嘆了口氣說：“你不知道，我們原來的星球被一顆彗星撞擊，環境已遭到巨大破壞，已經不適合我們生存了。植物島的外星植物雖然也來自天狼星系，但和我們不是一個星球，它們的星球還是完好的。”

楊小陽忽然想起了太陽公公，便問：“太陽公公又是怎麼回事呢？你們和它有聯繫嗎？”

海象主任微微點了點頭，說：“這下，你可問到要點了。這話說起來可就長了，咱們還是先回到待客廳再說吧。”

楊小陽帶著滿肚子的疑問，和海豹使者、小烏龜一起跟著海象主任回到了藍色的待客區域。

他們剛坐下，小海象就端來了幾杯插著吸管的紫色飲料。楊小陽正好有點口渴，便端起杯子吸了一口，飲料清涼、酸甜適口，楊小陽便一口氣喝光了。小烏龜也把吸管拉下來，吸溜著喝了起來。

楊小陽喝完飲料，抹了抹嘴，就又想起了太陽公公，便問海象主任：“現在，您可以對我說一說太陽公公的事了吧？”

海象主任點點頭，微笑著說：“咱們先來看一段錄像。”

只見海象主任撳了一下按鈕，藍色的辦公桌上就升起了一個大電視螢幕。

四周暗了下來，音樂響起。電視螢幕上顯現出三個星球的影像來。慢慢地，兩個星球隱去，一個星球被推出了，只見上面蓊蓊鬱鬱，上面活躍著各種植物。楊小陽想，這大概就是外星植物星球了。又過了一會兒，又一個星球顯現出了，上面躍動著一些像章魚似的動物，這大概就是外星動物星球了。再過了一會兒，還一個星球出現了，上面滾動著一些像肉球似的動物，楊小陽想，這會不會是水晶島外星動物的故鄉呢？正想著，螢幕黑了下去，音樂爆響，螢幕上出現了無數飛碟，它們互相發射鐳射彈，打來打去，天空一片狼藉。忽然，天空澄明瞭，一個議事廳出現了，裏面環坐著植物島、動物島以及水晶島的三種生物，然後，一個巨大的飛碟飛行在了天空中。圖像漸漸隱去、音樂也消失了，電視螢幕又收了回去，四周又亮了起來。

大家沉默了一會兒，海象主任首先開口說：“看到了吧，楊小陽，這段錄像放的就是我們天狼星系的三個有生物存在的星球的故事。一開始，我們三個星球和睦相處，可是後來卻發生了戰爭，三個星球都損傷巨大，戰爭結束後，我們覺得不能再發生這樣的事情了，就成立了三方協調委員會，三個星球的事情全部由這個委員會決定，我們要絕對服從它的領導。我們三個島的居民就是從戰爭結束後來到地球的，三方協調委員會設立了一個分委員會隨我們一起來到太陽系，它們沒有駐紮地球，而是一直繞太陽飛行，我們給它取了一個代號‘太陽公公’，三個島的所有事物都要由它決定。告訴你事情的經過，也是經過太陽公公批准的。”

楊小陽終於弄明白了誰是太陽公公，也弄明白了這三個島的來歷，迷霧終於散去了。

靜默了一會兒，楊小陽又問：“水晶島有人類居民嗎？”

海象主任搖了搖頭，說：“沒有。我們這三個島只有植物島有一點原來的人類居民，他們與你們大陸人類隔絕了也有很久了。現在，我們正在想辦法建立與你們地球大部分人類的聯繫。”

楊小陽想了想說：“我是聯繫人之一嗎？”

海象主任點了點頭說：“是的，是這樣的。”

楊小陽又問：“爲什麼選擇我？”

海象主任微笑著說：“因爲你是一個與大自然融合得很好的孩子，現在人類已進入工業化、後工業化時期，很多孩子都在林立的高樓裏生活，不知道大自然是怎麼回事。而你，是一個大海的孩子。你會理解我們的用意的。”

楊小陽不解地說：“你們希望我做什麼？”

海象主任和藹地說：“就是希望你參與到我們共同的保護地球的行動中來。”

楊小陽乾脆地說：“我會的，地球更是我們人類的，它是我們人類的永久家園，我們人類更應該好好愛護它。”

海象主任高興地說：“有你這句話就好了。說實在的，我們三個島的外星居民都不會在地球永久地呆下去，保護地球更需要靠你們人類。咱們會常聯繫的。”

楊小陽一下覺得自己肩上有了責任，一時沒有說話。

一旁的海豹使者拍了拍楊小陽的肩膀，說：“好了，我再帶你去看一個地方。”

楊小陽下意識地問：“哪裡？”

海豹使者說：“還在實驗室，海象主任安排吧。”

第四章　水晶島實驗室（二）

楊小陽他們還在剛才的藍色待客區域。海象主任很嚴肅地說：“我再給你們放一段錄像。”

它撳了一下按紐，大電視螢幕又從辦公桌上升了起來。音樂聲響起，螢幕上出現了蔚藍的大海的影像，一開始海面很平靜，可是突然，海底火山爆發了，岩漿湧出，海水滾沸。海底火山爆發引發的海嘯沖向人類居住的海島，正在海灘嬉戲的人們，猝不及防地就被巨大的海浪吞噬了，岸邊的房屋、樹木、汽車等等，都淹沒在一片汪洋之中。海嘯退去，海岸一片狼籍，到處是屍體與碎片。音樂漸弱，影像隱去。大電視螢幕又收了起來。

楊小陽看得很難過，他知道，雖然人類已經擁有很多先進技術，但是在大自然發脾氣的時候還是無能爲力的。他很小的時候，就聽奶奶講過，很久很久以前大海嘯時的慘劇，這段影像又讓他想起了奶奶給他講的故事。

海象主任看楊小陽沉默不語，便說：“我想，你知道這是一段關於海嘯的影像資料，至今，人類面對海嘯還是無能爲力的，雖然有時能提前預報，但準確及時的情況預報還是不完善，海嘯還是給人類造成很大的災難。”

楊小陽點點頭說：“我知道，我們住在海邊，最怕的，就是發生海嘯了。”

海象主任很嚴肅地說：“這我們都知道。我們正在對海嘯問題進行研究，防止災難的發生。”

楊小陽急切地問：“你們研究出辦法了嗎？”

海象主任看了看楊小陽，慢慢說：“你知道海嘯是怎麼發生的嗎？”

楊小陽馬上說：“我在科普書裏看到過，引起海嘯的大致有三種情況：一是海底火山爆發引發的，一是海底地震引發的，一是颱風引發的。”

海象主任微笑著說：“你知道很多事情，這很好。的確，海嘯正是這樣發生的，找到了原因才能找到解決的辦法。”

楊小陽問：“那你們找到了辦法了嗎？”

海象主任微笑著說：“你看，你又著急了吧？引發海嘯的三種原因都是不可抗拒的自然力量的爆發，這種自然力量你們人類暫時是無法控制的，我們也還無法阻止它的爆發，只能想辦法減弱它們爆發時的能量，以減弱它們所造成的危害。”

楊小陽忍不住又問：“那你們的辦法是什麼呢？”

小烏龜在一旁也有些著急，插嘴說：“海象主任，您就別賣關子了，趕緊告訴楊小陽吧。”

海象主任連忙說：“好好好，那我就照直說吧。其實，我們的辦法也很簡單，就是要事先預報到海底地震、火山的爆發，然後在那個地方鋪上一層生物防護網，減輕震動力度。至於颱風引發的海嘯，也是在颱風中心鋪上生物防護網，減弱颱風風力，來阻止災難的發生。”

楊小陽想了一下說：“你們的辦法好是好，可就得有一個非常準確及時的預報系統做後盾，而且生物防護網又是怎麼回事呢？”

海象主任豎起了大拇指，高興地說：“說得真好，楊小陽。你的確點中了要害。我們確實正在完善我們的預報系統，這個系統和生物防護網正是我們要給你看的。跟我來吧。”

說完，海象主任帶楊小陽他們來到實驗室的一個紫色區域，這是一個圓形大廳，四壁仍然是水晶的，中間是一個很大的紫色操作臺，臺子上放著一個灰色儀器，四周還是一圈紫色操作臺。

幾隻海獺走了過來，爲首的一隻個頭大一點的和海象主任握了握手，海象主任對它說：“你好，海獺博士，今天有什麼收穫？”

海獺博士很高興地說：“我們今天預測到一周後的一次海底地震，正準備前去鋪設生物防護網。”

海象主任也很高興，說：“祝賀你們，我們又可以幫人類避免一場災難了。順便介紹一下，這是我們的人類朋友楊小陽。”

海獺博士熱情地和楊小陽打了招呼，說：“你想瞭解點什麼？”

楊小陽不假思索地說：“就是想看看你們的預報系統，瞭解一下你們的生物防護網。”

海獺博士微笑著說：“這好辦。請隨我來。”

然後，海獺博士帶楊小陽來到中間的紫色操作臺跟前，指著那台灰色的儀器說：“這就是我們研製了很久的預報儀，它可以預報海底火山、海底地震和颱風的爆發。”

楊小陽圍著儀器轉了幾圈，沒看出什麼名堂，忍不住問：

“這儀器究竟是怎樣進行預報的呢？”

海獺博士笑了：“看來，你的好奇心還是滿強的呢。我們這台儀器是通過超聲波探測海底的地質活動，並且探測海洋水文變化，別看它體積不大，但是功用可不小。”

海獺博士一面介紹，一面又揿了一下臺子上的一個按鈕，儀器的前面便升起了一個彩色電視螢幕，只見上面顯示著各種數位和座標。

楊小陽好奇地問：“這是什麼？”

海獺博士說：“這就是儀器探測到的資料，我們的電腦根據這些資料進行分析，就知道哪裡會發生海嘯了。”

楊小陽恍然大悟，原來是這樣一回事。不禁佩服地說：“你們可真了不起，居然解決了這樣一個重要的問題。那你們阻止海嘯發生的生物防護網又是怎麼回事呢？”

海獺博士微笑著對楊小陽說：“你到這裏來看。”說完，把楊小陽他們帶到了環繞大廳四周的紫色操作臺邊，又揿了一下按鈕，從臺子底下升起了一圈水桶大小的玻璃桶，每個桶裏面都長著一些像海藻一樣的褐色東西。

海獺博士對楊小陽說：“這就是我們的生物培養菌，這些東西到了海水裏就能迅速生長，能在兩個小時內迅速鋪滿幾十平方公里的海底或水面，這些東西能減弱地震波或火山的衝擊力，減弱颱風的強度，過幾天，趕在地震前，我們就要去撒這些東西了。”

楊小陽刨根問底地說：“這些東西是你們自己培養的，還是地球上原本就有的？”

海獺博士笑了，說：“你可真能問，這是我們自己從海藻提取液中通過生物技術再次培養的。你問這個幹什麼？”

　　楊小陽撓撓頭說：“我是想讓人類也擁有這項技術，所以就問得多了些。”

　　海象主任拍拍楊小陽的肩膀說：“你別著急，我們不會永久地在地球上生活的，這些技術我們也希望傳輸給人類，這是我們下一步要著手做的事情。”

　　楊小陽熱心地說：“我能做些什麼嗎？”

　　海象主任微笑著說：“你回去後要好好學習，必要的時候，我們會和你聯絡的。”

　　楊小陽懂事地點點頭，沒再說什麼。

　　一直在一邊沒說話的海豹使者對楊小陽說：“時候不早了，我該帶你參觀下一個地方了。”

　　楊小陽問：“什麼地方？”

　　海豹使者神秘地說：“你去了就知道了。”

第五章　水晶島天文觀測站

海豹使者帶楊小陽他們又回到了珊瑚塔的後面，站在了那一排水晶門的前面。他們從最右邊的一個門進去，穿過一個長長的水晶走廊，來到一個水晶門前。

他們剛到，門就自動打開了。他們剛走進去，門又自動關上了。

這是一個面積很大的廳，頂部是球形的。下面裝了一台巨大的白色天文望遠鏡。

一隻海獅迎了過來，海豹使者和它握了握手，問："今天的觀測還沒開始吧？"

海獅回答："沒有。今天的客人是誰？"

海豹使者說："我們的人類朋友 —— 楊小陽。"

海獅過來和楊小陽握手，自我介紹道："我是水晶島天文觀測站站長，歡迎你來參觀。"

楊小陽說："很高興能來參觀。你們是在水下觀測的嗎？"

海獅站長笑了笑，說："不是。"

楊小陽好奇了，問："那你們是怎樣觀測的呢？咱們現在不是在水下嗎？"

海獅站長拍了拍楊小陽的肩膀說："怎麼觀測的你待會兒就知道了，別著急。你先過來看看我們拍攝的太空星圖。"

楊小陽往廳的四周看了看，哇，原來四壁上都掛滿了星球的照片。

小烏龜在一旁晃著腦袋說：“機會難得啊，楊小陽，你可得仔細看看啊。”

楊小陽點點頭，說：“我知道。”

這時，一隻小海獅走了過來，對楊小陽說：“我是天文觀測站的講解員，跟我來吧。”

楊小陽他們跟著海獅講解員來到左手的牆壁，這裏掛著一組太陽系幾大行星的照片。楊小陽從科普書上看到過它們的照片，一下就認了出來，不禁說了出來：“這不是太陽系的幾大行星嗎？”

海獅講解員點了點頭，說：“正是。”

楊小陽指著一張帶環形邊,形狀像個草帽的星球說:“這不是土星嗎？”

海獅講解員微笑著說：“不錯。看來你有點天文常識。你再看看我們的照片與你們的照片有什麼不同？”

楊小陽仔細一看，可不嗎，確實有點區別。他看過的圖片都是黑白底或者帶點木紅色的彩色照片，而這裏的照片都是蔚藍的底色，象牙白的圖形，非常漂亮。

楊小陽“唔”了一聲，說：“你們的照片處理的和我們的不一樣，但星球的形狀總是改變不了的。”

海獅講解員說：“的確是這樣的。”

楊小陽又看了一會，指著一張圖片說：“這不是月球上的環形山嗎？”

海獅講解員說：“你的眼力真好，正是。看來你很有點天文知識。”

楊小陽有點得意地說：“我可是我們學校天文愛好小組的。當然有一點天文知識了。”

小烏龜在一邊晃晃腦袋得意地說：“我們請來的這位小客人可是有些知識的啊，別小瞧人家啊。”

小烏龜一誇獎，楊小陽耳根有點熱，站在一邊沒說什麼。倒是海獅站長微笑著又和他握了握手。

楊小陽他們繞著環行的牆壁邊走邊看，牆上掛滿了各種星球的圖片，海獅講解員一一講解著，楊小陽很有興趣地聽著。

快走到終端的時候，楊小陽被一組圖片吸引了。這是一組很漂亮的星系圖，一幅大照片顯示著這個橢圓形的星系的整體風貌，一顆顆明亮的星星密密麻麻地分佈在星系上，周圍幾組圖片則是三個星球的不同角度的照片。

海獅講解員指著照片對楊小陽說：“這是我們天狼星系和植物星球、動物星球、水晶星球的照片。”

楊小陽仔細地看了看說：“你們天狼星系和銀河系很相像啊，三個星球的照片和我們的火星很像啊。”

海獅講解員說：“確實這樣，不過太陽系的火星是不毛之地，而我們的三個星球卻是有生命的啊。”

楊小陽“喔”了一聲，想了想，終於把一個憋在他心裏許久的問題說了出來：“你們是怎樣觀測天象的？難道是在水下不成？”

海獅站長微笑著對他說：“你提了一個很好的問題，這正是下面我們要向你演示的。你可站好了。”

說完，海獅站長走到望遠鏡旁邊揿了一個按紐，楊小陽就覺得腳下一陣晃動，整個觀測站開始緩緩地上升。上升的過程很平穩，楊小陽在觀測站裏感覺不到有什麼異樣，也聽不到外面的聲音，只聽到小烏龜搖頭晃腦的哼唧聲。

不一會兒，觀測站就冒出了水面。小烏龜高興地歡呼著說：“現在可以觀測了，現在可以觀測了。”

海豹使者彎下腰，拍拍小烏龜的腦袋說：“別大聲喧嘩，小傢伙，待會兒就有好看的。”

海獅站長又摁了一個按紐，觀測站的穹頂敞開了，露出了一片天空，天上已經是繁星點點。

海獅站長問楊小陽：“你想看什麼呢？”

楊小陽想了想說：“我除了愛看日出，就最愛看月亮了。我看今天正是滿月天，我就看看月亮吧。”

海獅站長把望遠鏡對準月亮，來回調了調，說：“我已經調好了，楊小陽，快來看吧。”

楊小陽走到望遠鏡跟前，坐下來，對著鏡頭看了起來。鏡頭裏的月亮圓圓的，可以清晰地看見一個個圓圈，裏面還帶著一個個圓點，像一個個乳頭一樣。楊小陽知道，這是月亮上的環行山。他又將鏡頭拉近，對著環行山仔細觀看，可以看到這些環行山像地球上的火山口一樣，四周是環行的，中間卻是陷落的。它們看上去很有質感，楊小陽很想上去踩一腳。

這是楊小陽第一次通過望遠鏡觀看月亮，他雖然是學校天文小組的，但他們沒有望遠鏡，只是學了些書本知識、看了一些圖片。通過望遠鏡看還是不一樣，看上去很有立體感，好象跟月亮的距離很近很近。楊小陽覺得很過癮。

小烏龜在一旁眼巴巴地說：“看完了嗎？讓我也看一看。”

楊小陽讓出了地方，小烏龜把椅子搖高到貼近鏡頭，也爬上去觀看。它一邊看一邊說：“真是太好看了。太棒了。”

海豹使者很關心地問楊小陽：“來一趟不容易，還想看什麼？”

楊小陽想了想說：“通過望遠鏡只能一個星球一個星球地看，能不能一下子看到一個星系呢？”

海獅站長笑了：“可以滿足你的要求。我們可以通過射電掃描，還原成視頻圖像給你看，這點你們人類還辦不到。”

這時，小烏龜已經爬了下來，它有點著急地說：“那就趕緊給楊小陽看看吧。”

海獅站長不急不忙地說：“別著急呀，我得把望遠鏡調到射電狀態呀。”說完，它摁了一下按紐，只見望遠鏡的長鏡頭收起，從中間探出了一個很大的半圓，伸出了穹頂之外，在楊小陽的面前則升起了一個大螢幕。

海獅站長問楊小陽：“你想看哪個星系呢？”

楊小陽說：“我想看銀河系。”

海獅站長說：“沒問題。”說完，又摁了一下按紐。

楊小陽眼前的大螢幕一下閃出了銀河系的圖像，先是整體的圖像，密密麻麻的星星組成一條長河顯示在螢幕上，接著，是局部顯示，一組組星球呈立體狀呈現在螢幕上，楊小陽看得有些目不暇接了。

楊小陽看得正起勁，海獅站長拍拍他的肩膀說：“銀河系的星球太多了，這樣看根本看不過來，今天就看到這裏吧。”說完，又撳了一下按紐，大螢幕自動關上收了起來，望遠鏡也收了回來，穹頂合上了。

楊小陽的好奇心還沒得到滿足，他又問海獅站長：“你們平時主要觀測什麼呢？”

海獅站長微笑著說：“我們主要還是觀測天狼星系的變化，爲我們回去作準備。還要負責尋找與我們原來居住的星球相近的星球，另外，還要觀測‘太陽公公’的運行軌跡，以便隨時聯繫。”

楊小陽似乎明白了，沒再說什麼。

海豹使者說：“咱們該回去了。”

海獅站長便撳了一下按紐，整個觀測站又向水中沉了下去。

不一會兒，觀測站就回到了原來的地方。

海豹使者對楊小陽說：“咱們該到別的地方去了。”

楊小陽雖然覺得有些依依不捨，但還是和海獅站長和講解員說了再見，就隨海豹使者和小烏龜走出了天文觀測站。

第六章　時空轉換器

楊小陽、小烏龜隨海豹使者又來到珊瑚塔後面的那排水晶門前，從右邊第二個門進去，來到一個粉色的世界。

這裏的四壁仍然是水晶的，只是桌椅茶几沙發全是粉色的，四壁映著一層熒熒的粉光。一股脂粉氣傳了過來，一條人魚走來。

楊小陽有些不習慣這裏的粉光和脂粉氣，把頭扭了過去。

海豹使者和人魚打招呼：“你好！女士！我給你們帶來了一位人類朋友楊小陽。”

出乎楊小陽意外的是，人魚用一種粗聲大氣的方式和他打招呼：“你好！楊小陽！歡迎你來參觀。”

楊小陽覺得舒服了一點，忙轉過頭來說：“你好！女士！很高興認識你。”

人魚的聲音柔和了些，但依然是粗聲粗氣的：“來，到沙發上坐下吧。”

楊小陽、小烏龜、海豹使者到沙發上坐了下來。

人魚撳了一下按鈕，一條小人魚送來了幾杯玫瑰花茶，楊小陽喝了一口，茶裏散發著一股淡淡的玫瑰花香，還有一股淡淡的蜂蜜的甜味，非常好喝。楊小陽忍不住又喝了幾口，才放下杯子。

海豹使者對人魚說：“女士！楊小陽到這裏來是爲了參觀。我希望您能把最核心的時空轉換技術給他介紹一下。”

人魚也喝了一口茶，慢聲慢氣地說道：“你知道，我們是在地球的另一維裏的，這裏的時空與你們那裏的時空完全不同，這裏的一星期相當於你們那裏的一個下午。你來這兒已經快一個星期了，可這段時間只相當於你在海邊呆一個下午，你爸爸媽媽還以爲你在海邊玩呢。”

楊小陽點點頭說：“這我知道，可這意味著什麼呢？”

人魚又喝了一杯茶，不緊不慢地說：“這意味著從我們這一維進入你們那一維要進行時空的壓縮，而從你們那一維來到我們這一維則要進行時空的擴張。”

楊小陽的興趣被提了起來，不禁問道：“那我來的時候怎麼一點也沒有感覺呢？”

人魚微笑著說：“這是因爲我們的技術好唄。”

楊小陽好奇地問：“我能看看你們的技術嗎？”

人魚還是微笑著說：“當然可以啦，帶你來，就是爲了給你看的嘛。”

楊小陽興奮地站了起來：“現在去看好嗎？”

小烏龜也嚷嚷著說：“對，咱們趕緊去吧。”

人魚笑了，說：“這麼著急？好吧，你們跟我來。”

人魚帶他們來到一個黃色的大廳，依然是水晶的牆壁，但中間土黃色的大操作臺和四周的小操作臺把大廳映照得黃熒熒的。一群小人魚正在四周的小操作臺上忙碌著什麼。

中間的大操作臺上，放著一個體積龐大的金屬儀器，人魚對楊小陽說：“這就是我們的時空轉換器。”

楊小陽有些不相信地說：“它能轉換時空？”

人魚有些得意地說：“當然，這是轉換時空的主體部分。”

楊小陽跟著問：“那其他的部分在哪裡呢？”

人魚微笑著說:“在每個進出兩個維度的工作者身上。”

楊小陽看著小烏龜，說：“你身上也有吧？”

小烏龜點點頭，說：“是的。”

楊小陽好奇地問：“我怎麼沒看見？”

小烏龜晃晃腦袋說：“只是放在身體裏的一個很小的一個晶片，你當然看不到了。”

楊小陽問：“它是幹什麼用的呢？”

小烏龜說：“用來和這台主機聯繫，當我需要時空轉換時，晶片就會向主機發出信號，主機就會進行時空轉換，我就可以自由出入兩個維度了。”

楊小陽有些明白了，原來是這麼回事。但他還是不清楚這台轉換器的工作原理，便問：“這台轉換器是怎麼進行工作的呢？”

人魚笑了：“你可真愛打破沙鍋問到底呀。這是一台離子加速器，它釋放的離子在進行轉換時，可以改變時空的角度，進行時空轉換。”

楊小陽這下明白了，原來是這麼回事。他又將注意力轉到在四周忙碌的小人魚身上，便走過去看了起來。

這些小人魚有的在螢幕前忙碌、有的在製作晶片，都沒有抬頭。

人魚對楊小陽說：“它們是轉換器的程式操作員和晶片製作員，都很忙，因爲我們天天都有需要進行時空轉換的工作人員。”

楊小陽很好奇地問：“我來的時候，是否也經過它們的轉換？”

人魚微笑著說：“當然了，沒有這些程式操作員和轉換器的工作，你是進入不了我們這一維的。”

楊小陽撓撓頭，佩服地說：“原來是這樣啊，我可是一點感覺也沒有，你們的技術可真棒。”

小烏龜在一旁嚷嚷道：“這也有我的功勞啊，我不發信號，操作員也不會進行時空轉換呀。”

海豹使者拍拍小烏龜的腦袋，笑著說：“不會落下你的。我們都記得你的功勞呢。”

楊小陽也笑了：“小烏龜，我可是很感謝你把我帶到這三個神奇的島參觀啊。”

小烏龜有些不好意思地嘿嘿地笑了，大家也都微笑著看著它，沒有說話。

楊小陽看著時空轉換器，想起自己來到這三個島，也快一個星期了，就有點著急，便對海豹使者說：“我想，到了該我回家的時間了吧？我爸爸媽媽和爺爺奶奶要是找不到我的話，肯定會著急的。”

海豹使者看著楊小陽，安慰道：“時間還有將近一天呢，也就是你們那裏的將近一個小時，你別著急，我們還要去見企鵝王陛下呢。”

楊小陽聽說還有時間，就不那麼著急了，但還是想早些回家，便說：“那咱們趕緊去見企鵝王陛下吧。”

人魚在一旁看楊小陽著急，便放細了聲音說：“別著急，時間足夠用的。”

海豹使者微笑著說：“那好吧，請跟我來。”

第七章　離開水晶島

海豹使者帶楊小陽和小烏龜回到了白色的珊瑚塔前，企鵝王已經端坐在水晶王座上，8 個海豹侍衛已分列兩旁。

沒等楊小陽走到跟前，企鵝王就遠遠地招呼上了：“你好，楊小陽！對我們水晶島印象如何？”

楊小陽也愉快地大聲說：“你好，陛下！我參觀得很順利，學到了不少東西。”

企鵝王見楊小陽這麼說，便說：“我們水晶島也很精彩，不是嗎？告訴我，你最大的收穫是什麼？”

楊小陽思考了一下說：“收穫很多，不過，我印象最深的是你們對地球環境的憂慮。”

企鵝王很有興趣地說：“噢，說說看。”

楊小陽撓撓頭，說：“你們既在保護海洋生物，也在關心地球氣候變暖問題，還想幫人類減輕海嘯帶來的災難，我非常受感動，很希望能將你們的技術傳送給人類。”

企鵝王聽得很高興，說：“你是個有心的好孩子，我們的技術遲早是要和人類交流的。你現在還小，還做不了什麼，等你稍大一點，我們還會和你聯繫的。”

楊小陽有點著急地說：“我一點也不小，我能做不少事呢，我還準備參加我們學校環保小組的活動呢。”

企鵝王微笑著說：“你們都是很好的孩子，可真要對人類社會產生影響，我們還要和成人的組織聯繫，當然，你回去好好進行宣傳，也是很重要的。”

楊小陽聽企鵝王這麼說，就不再說什麼了。

小烏龜在一旁有些著急地說：“楊小陽雖然還是一個孩子，卻能做很多事，陛下可別小瞧他呦。”

企鵝王點點頭，說：“我可不是小瞧他，我們以後肯定會和他聯繫的，這次他回去，我就希望他能好好宣傳一下地球氣候變暖問題，我們研製的防止冰川融化的製冷劑，還沒有進入技術穩定階段，還需要我們和人類好好合作，楊小陽加入學校環保小組，可起的作用大著呢。”

小烏龜晃著腦袋，連連說：“就是，就是。”

楊小陽很高興，說：“我一定會的。”

海豹使者也插嘴道：“我看楊小陽行。”

楊小陽一心想著早點回去，便說：“我是不是該回去了，我怕我爸爸媽媽找不到我著急。

企鵝王連忙說：“你別著急，時間還有。不過，我們也不留你了，你回去時應該是傍晚了，是該回家了。”

說完，又對小烏龜說：“你送楊小陽回去吧。”

海豹使者、小烏龜、楊小陽告別了企鵝王，來到水晶島的入口處。小烏龜又變成了那艘橡皮艇，楊小陽跟海豹使者道了別，就跨上了橡皮艇，海豹使者熱情地向楊小陽揮著手：“說，再見，歡迎你再來。”

楊小陽也揮著手。這時玻璃罩自動罩住了楊小陽，橡皮艇沉入了水中。

不一會兒，橡皮艇就駛出了水面，玻璃罩自動消失了。楊小陽重新呼吸到新鮮的空氣，看見蔚藍的大海，心裏一下就踏實起來。

回去的航程很順利。橡皮艇平穩地行駛在波光粼粼的大海上，海風吹拂著楊小陽，楊小陽的心裏很愉快。

像來的時候一樣，楊小陽還沒感覺到什麼，就回到了家鄉的海岸邊。

橡皮艇將楊小陽送上了岸，一眨眼，小烏龜爬在了他的腳下。楊小陽放眼四望，海邊還是只有他一人，太陽已經快西沉了，海面上一片霞光。

小烏龜咬咬楊小陽的褲腳，有些依依不捨地說："我得回去了，我可是準時將你送回來了哦。"

楊小陽彎下了腰，拍拍小烏龜的腦袋，說："謝謝你帶我去了這麼一個神奇的地方。你回去還有事情，我也不能留你。希望你記住咱們的友誼，回去向大家問好。"

小烏龜跟楊小陽道了再見，一眨眼就不見了。

楊小陽在海邊坐了一會，回想起這一下午的經歷，就像做了一場夢。

楊小陽就這樣坐著，太陽已經落到了海平面上，眼看就要墜入海中了。望著落日，楊小陽想起了太陽公公、想起了若花若木、還有小烏龜忽然，遠處傳來一陣熟悉的呼喚，原來是媽媽那慈愛的聲音："小海豚 — 小海豚 — 快回家吃飯吧。"

楊小陽這才想起，原來自己已經回到了家鄉。他一躍而起，飛快地向家裏跑去。

楊小陽跑回家裏，爸爸媽媽爺爺奶奶已經在等他吃飯了。

媽媽王海秀見楊小陽一臉愉快，便問："今天怎麼這麼高興？是不是又下海和海豚玩了。”

楊小陽心想：我不僅和海豚玩了，我還和外星生物玩了呢。不過，他可不想把自己下午的經歷告訴爸爸媽媽，不然，他們肯定會擔心的，問起來又沒完沒了，便應了一句：“是的。晚上咱們吃什麼？”

奶奶方彩彩見楊小陽回來，早就樂得合不攏嘴了，趕忙說：“今晚，奶奶給你做了蔥花餅、蛤蜊煎蛋、幹墨魚燒肉，還有南瓜大米粥。”

這些都是楊小陽最愛吃的東西，奶奶一報菜名，饞得楊小陽直流口水。他趕緊跑到飯桌前坐下，自顧自地吃了起來。

媽媽趕忙說：“慢點吃，別噎著。”

爺爺奶奶、爸爸媽媽也坐到飯桌前吃了起來。

楊小陽一邊吃一邊還想著那三個島，就一直沒說話。

媽媽見楊小陽不說話，就問：“小海豚，你今天是不是玩累了，怎麼不說話呢？”

楊小陽咬了一口蔥花餅，正說不出話來，便搖了搖大圓腦袋，嘟囔著說：“沒什麼，我不累。”

爸爸楊大海對媽媽說：“不要緊，別管他了。”

吃完飯，楊小陽也不梳洗，就跑到自己床上躺了下來。腦子裏還是那三個島的事情。

媽媽很著急，以爲楊小陽生病了，趕緊過來摸他的腦門。一點也不燒。

媽媽很奇怪，就問：“你是不是不舒服啊，小海豚。”

楊小陽把媽媽的手拿開，細聲說：“我沒有不舒服，媽媽，就是想睡覺。你走吧，讓我一個人睡吧。”

媽媽給楊小陽掖了掖被子，就走開了。

楊小陽閉著眼睛，可一點也沒睡著。他摸摸床，是自己平時睡的木板床，想著爸爸媽媽、爺爺奶奶一點也沒看出自己經過了這麼一個不平凡的下午，不禁有些懷疑自己究竟有沒有去過這三個島。

忽然，他想起了若花給自己的織錦花種子和豬豬國王給他的紀念章，摸了摸口袋，果然有一粒種子躺在裏面，紀念章也在裏面。一下便有些興奮，想：自己可真是到過這些地方。明天見了王小建和遙遙崽可一定要和他們好好講講自己的經歷。花種子就讓海妮種吧，女孩子細心，不過，千萬不能讓張小蟹那個調皮蛋搗亂。

想著，想著，楊小陽忽然又想起，袋鼠醫生會不會突然有一天來給奶奶看病，就想，是不是應該把自己的經歷告訴爸爸媽媽和爺爺奶奶，讓他們也好有個心理準備。

這樣想著，也就迷迷糊糊地睡著了。

第八章　見到好朋友

第二天一早，楊小陽還沒起床，就被一隻小手推醒了，一睜眼，原來是小表弟遙遙崽站在了床頭。

楊小陽還有些懶懶的，賴著不想起來。遙遙崽就用手捏著他的鼻子擠了一下，把楊小陽給擠疼了，楊小陽就“嗵”的一下從床上跳了下來，拍拍遙遙崽的頭說：“走，哥哥帶你玩去。”

楊小陽、遙遙崽連蹦帶跳地往門外走，媽媽和奶奶卻攔住了他們：“你們倆先去刷牙洗臉吃點飯，然後再玩。”

楊小陽和遙遙崽只好去刷牙洗臉吃早飯。

吃了早飯，楊小陽就帶著遙遙崽向王小建家走去。

他們走在半路上，碰見了海妮，楊小陽就問：“你到哪裡去？”

海妮說：“我準備到海邊去玩一會兒。”

楊小陽說：“海邊咱們天天去，不如跟我們一起去找王小建玩。”

海妮想想也是，就跟著楊小陽和遙遙崽一起往王小建家走去。

王小建家離學校不遠。楊小陽、遙遙崽和海妮到的時候，王小建正在家吃早點。他咬著一口油條腮幫子鼓得滿滿的，顧不上跟楊小陽他們打招呼，只好沖他們點點頭。

等王小建吃完飯，楊小陽便問：“今天咱們到哪里玩去？”

王小建說：“去學校操場吧。”

遙遙崽一聽可不願意了，說：“學校操場有什麼好玩的？水泥場地硬邦邦的。”

王小建便說：“那你說去哪裡？”

遙遙崽撓著頭還沒想好，海妮插嘴說：“我看還是去海邊好，又可以下海，又可以在海灘上堆沙子，多好玩。”

楊小陽、王小建、遙遙崽想想也都同意了，大家就一起向海邊走去。

走在路上王小建、遙遙崽、海妮唧唧喳喳地說笑，楊小陽則老惦記著怎麼把自己昨天下午的經歷告訴他們，說話很少。

他們很快就來到了海邊。

海妮很奇怪地問楊小陽：“你今天怎麼了？話這麼少？”

楊小陽想還是待會兒告訴他們吧，便說：“沒什麼，我只是沒想起來說什麼。”

海妮也就不再問，興致勃勃地提議：“咱們先堆城堡吧。”

王小建、遙遙崽也很有興趣。幾個人便開開心心地挖起了沙子。

城堡堆起來了，王小建、遙遙崽、海妮圍著城堡又笑又蹦，楊小陽卻在想：要是他們去了植物島、動物島和水晶島還不知道要高興成什麼樣呢。這樣想著，也就沒說什麼。

還是海妮發現了楊小陽的異常，又問：“你怎麼了？是不是生病了？”

楊小陽覺得應該趕緊告訴他們了，不然自己可真要憋壞了，便說：“我昨天下午去了一個非常神奇的地方，我想跟你們說說。”

王小建、遙遙崽、海妮異口同聲地說：“那就趕快給我們講講吧。”

楊小陽便把自己昨天下午怎樣遇見小烏龜，小烏龜又怎樣帶他去了植物島、動物島和水晶島的事詳細地說了一遍。

王小建很不相信，說：“哪有這樣神奇的事，該不是你編故事騙我們吧？”

遙遙崽半信半疑地說:“陽陽哥,你真去了那裏了嗎？”

海妮則有點相信地說：“小烏龜真是那麼有本事嗎？它是直接來海邊找你的嗎？”

楊小陽有些得意地說：“這一切都是真的。你們不信，我這兒還有若花給我的花種和豬豬國王給我的紀念章呢。”

楊小陽從口袋裏掏出了織錦花的種子和紀念章給大家看。

王小建、遙遙崽、海妮傳看了一下花種，這下都相信了。遙遙崽摸著紀念章捨不得放手，很羨慕地問：“小陽哥，你真成了動物島的榮譽居民了嗎？”

楊小陽一面把紀念章和花種要到自己手上，一面得意地說：“當然了。”

王小建很神往地說：“這麼說，真有地球的另一維了，若花和若木也真有其人了。要是我也能去看一看就好了。”

遙遙崽和海妮也神往地說：“ 要是我們也能去看一看就好了。”

楊小陽有些激動地說：“我也很希望你們能去看一下，只是我也不知道那些外星生物什麼時候才會再和我聯繫。我還盼著它們來給我奶奶治病呢。”

王小建不相信地說：“它們還會和你聯繫嗎？”

海妮和遙遙崽也附和著說：“是啊，它們會和你聯繫嗎？”

楊小陽被問得有些著急，拍拍胸脯說：“肯定會的。你們又沒見到過它們，我可是親眼見過它們。它們很友好，而且非常關心地球和人類。我相信它們肯定會和我聯繫的。”

王小建、海妮和遙遙崽還有些將信將疑。

楊小陽見它們不說話，便說：“不管它們聯繫不聯繫，咱們先把這粒織錦花的種子種上，讓你們也看看地球那一維的植物是什麼樣的，好不好？”

遙遙崽說：“咱們把它種在哪裡呢？”

王小建說：“我看就種在海妮家的花盆裏吧，讓海妮照管，她最細心了。”

楊小陽說：“我也是這樣想的。”

遙遙崽拍著小胖手說：“我同意！我同意！就讓海妮姐姐照看吧。”

海妮從楊小陽手裏接過花種，一臉嚴肅地說：“既然大家這麼信任我，我一定把它種好、養好。楊小陽，你說，種這花有什麼注意事項嗎？”

楊小陽說：“我聽若花說要三天澆一次水，天天曬一曬太陽，別的就沒什麼了，大約半年就能開花了。”

遙遙崽很失望，說：“這麼說，我們得等半年才能看到織錦花是什麼樣子的啦？！”

楊小陽安慰他說：“你別著急，咱們一邊等著花開，一邊還有很多事情要做呢。”

王小建問：“咱們還做什麼事情呢？”

楊小陽說：“咱們可做的事情可多著呢，連外星生物都這麼關心地球的生態環境問題，咱們自己可一定要做點這方面的事情呀。我看，咱們先參加學校的環保小組吧。”

海妮馬上說：“我同意。我早就想參加學校的環保小組了。開學咱們就一起申請吧。”

王小建說：“我也同意。”

遙遙崽有些著急地說：“可我們學校沒有環保小組怎麼辦？”

楊小陽說：“沒關係，你可以間接參加我們的活動，也可以向你們的老師建議也成立一個環保小組。”遙遙崽有些高興地說：“是啊，我們老師肯定會同意的。”王小建插嘴說：“環保小組我們得開學才能參加，我們現在能做些什麼呢？”

海妮則對楊小陽說：“假期還很長，我們應該做些什麼讓你的外星朋友高興呢？”

楊小陽撓撓頭還沒說話，王小建便說：“我看，咱們還是做一些環保的志願活動好些。”

海妮問：“那咱們做些什麼樣的環保活動好呢？”

王小建滿有主意地說：“張小蟹家不是經常賣幹魚翅嗎？這些魚翅可都是他爸爸出海捕殺的鯊魚身上的，咱們應該勸勸張小蟹，讓他回家做做家人的工作，還是別賣魚翅了。

鯊魚可是海洋裏的珍貴資源，再濫捕濫殺可就要絕種了。”

楊小陽一聽很興奮，說：“這個主意好，水晶島上還有海洋生物救護院呢，它們救護各種各樣受傷的海洋生物，其中很多是被人類傷害的，比如，被人類捕鯨捕鯊行爲傷害的鯨類、鯊類等等，說不定還有張小蟹他爸爸傷害的鯊類呢。”

海妮和遙遙崽也說：“咱們可真得好好勸勸張小蟹。”

王小建說：“不過，咱們可別讓他知道咱們進行環保活動的原因，不能讓他知道楊小陽去過地球的另一維，不然，他又要出壞點子了。”

大家一起說是。

他們正聊得熱鬧，海妮突然看見張小蟹一個人朝海灘走來了，便說：“那不是張小蟹嗎？咱們把他叫過來吧。”

於是，他們幾個人一起喊：“張小蟹 —— 快過來。”

張小蟹一跑一顛地過來了，問：“叫我幹什麼？有什麼好事嗎？”

海妮說：“別盡想好事了，我們有點事和你談。”

張小蟹問：“什麼事？搞得這麼嚴肅？”

王小建說：“你們家是不是在賣魚翅？”

張小蟹有些丈二和尙摸不著頭腦，說：“是啊，難道你想買？”

王小建說：“我不想買。我們想勸你們別再賣魚翅了。”

張小蟹有些急：“我們家就靠這個賺錢呢，不賣這個，我們吃什麼呢？”

王小建說：“你們可以轉行賣別的呀，比如，養殖海帶、養殖珍珠都挺賺錢的。”

張小蟹有些好笑：“轉行那麼容易？再說，你們憑什麼不讓我們賣魚翅了？”

楊小陽很嚴肅地說：“是這樣：我們想參加學校的環保小組，也想讓你和我們一起參加，咱們得以實際行動支持環保活動。”

張小蟹還是不明白：“支持環保活動就不能賣魚翅了？”

楊小陽解釋說：“你想，你們如果賣一斤魚翅得捕殺多少鯊魚呢？現在很多鯊魚都是瀕危物種，數量在急劇減少，你們多捕殺一條鯊魚，海洋生物鏈就多一份斷裂的可能，所以，我們勸你回家和你爸爸商量商量，轉行做點別的吧。”

楊小陽這麼一說，張小蟹便不說話了。海妮看著有些著急，說：“你說話呀，張小蟹。”

張小蟹有些結結巴巴地說：“我倒 —— 倒好商量，就是我爸不一定會同意。”

王小建說：“你把道理說清楚了，他肯定會同意的。”

張小蟹勉強答應道：“我回家試試吧。”

遙遙崽說：“你回家試試吧，我們在這裏等你的消息。”

楊小陽說：“你回家好好勸勸你爸爸，跟他說，破壞海洋生物資源是一種可恥的行爲，我相信，大人也是要面子的。”

張小蟹有些不情願地往家走去了。

楊小陽他們繼續在海灘上堆沙堡，等著張小蟹，過了老半天，只見張小蟹沒精打彩地走了過來。

等他走到跟前，大家一起圍了上來，問：“你爸爸怎麼說？”

張小蟹垂頭喪氣地說：“我爸爸說，小孩子別管大人的事。”

王小建氣憤地說：“他怎麼能這麼說呢？走，大家一起跟他說去。”

張小蟹急忙說：“你們別去，不然，我爸爸可要怪我了。”

楊小陽說：“不會的，我們是去跟他說理的。大家一起去吧。”

說完，楊小陽、王小建、海妮、遙遙崽一起朝張小蟹家走去，張小蟹看攔不住大家，只好也跟著往家走去。

他們來到張小蟹家的時候，張小蟹的爸爸正在院子裏補魚網，見楊小陽他們來了，就說：“籲——，來了一幫環保志願者嘛。”

楊小陽很嚴肅地說：“叔叔，我們不是開玩笑，我們是來和您正經談事的。”

張小蟹的爸爸笑了：“是嗎？談什麼事啊？”

王小建說：“我們想請您轉行，別再賣魚翅了。”

張小蟹的爸爸邊織魚網邊說：“一群傻孩子，淨說傻話。不賣魚翅我憑什麼賺錢呢？！”

海妮說：“您可以搞海產養殖呀，也挺賺錢的。”

張小蟹的爸爸笑了：“你說搞就搞得起來呀？哪那麼容易？再說，我捕鯊魚從來都是捕大鯊魚，小鯊魚我都放生了，不妨礙海洋生態的。”

楊小陽說：“您放生小鯊魚是對的，但大鯊魚最好也別捕殺，因爲它們要生小鯊魚的，大鯊魚都捕光了，小鯊魚也就沒有了。”

張小蟹的爸爸停下織魚網，說：“照你這麼說，我真得停止捕鯊了。”

楊小陽說：“最好是這樣。您轉行也是對環境保護做貢獻呢。”

張小蟹的爸爸笑了：“我是爲環保做貢獻了，可如果我賺不到錢，誰給張小蟹交學費呢？”

海妮有些著急，說：“您肯定能賺到錢的，我爸爸就是搞海產養殖的，他賺的錢可不少呢。”

張小蟹的爸爸說：“你爸爸搞海產養殖都十幾年了，我轉行的話就成了新手了，能不能賺錢就很難說了。”

海妮連忙說：“要不就讓我爸爸先幫您搞一年，你們一起賺錢。”

張小蟹的爸爸說：“這倒可以考慮考慮，那也得你爸爸同意才行。”

楊小陽、王小建、海妮、遙遙崽聽張小蟹的爸爸這麼說，一起興奮地大叫：“叔叔同意了！叔叔同意了！”

張小蟹的爸爸趕緊擺擺手，說：“你們先別這麼興奮，我還得好好考慮考慮。”

楊小陽他們著急地大叫：“還考慮什麼呀！您就答應我們吧，叔叔。”

張小蟹的爸爸笑了：“我考慮好了自然會答應你們的，先去玩吧，孩子們。”

張小蟹也說：“咱們還是出去玩吧。”

楊小陽他們見一時也得不到確切的答覆，只好和張小蟹一起又向海邊走去。

第九章　等　待

楊小陽、王小建、海妮、遙遙崽和張小蟹一起回到海邊，大家又玩了一會堆沙堡。

楊小陽他們邊玩邊勸張小蟹，讓他回去好好做做他爸爸的工作，一定放棄捕鯊，轉行做別的。

張小蟹也答應了。

玩了一會兒，張小蟹就回家了。他一走，王小建就說：“你們看，他爸爸會答應嗎？”

楊小陽很有信心地說：“我看會的。就讓海妮多去做做工作吧，她爸爸不是能幫張小蟹的爸爸的忙嗎？”

海妮撅撅嘴說：“要是張小蟹再揪我的辮子怎麼辦？”

王小建拍著胸脯說：“沒關係，有我呢，他不敢的。”

遙遙崽也嫩聲嫩氣地說：“海妮姐，有我呢，我們會幫你的。”

大家說了一會兒，海妮說她要回去種織錦花的種子就先回去了。王小建要回家做家務，也先回去了。

海灘上就剩下楊小陽和遙遙崽。

遙遙崽問楊小陽：“陽陽哥，你說，小烏龜會再爬上岸來嗎？”

楊小陽堅定地說：“一定會的，到時候，讓它也帶你去玩。”

從昨天下午到現在，楊小陽一直很興奮，心中充滿了各種各樣的想法。他感覺自己的收穫真是大呀，他也覺得自己好像長大了不少。他想念起小烏龜、若花若木，以及豬豬國王、袋鼠醫生、企鵝王等等。他想，它們一定也不會忘了他的，他們肯定會再邀請他重新去參觀的。

這樣想著，楊小陽拉緊了遙遙崽的手，說：“好弟弟，哥哥一定有機會帶你去那一維的。”

遙遙崽也拉著楊小陽的手，點點頭。

兄弟兩人站在海灘上，平靜地望著遠處的海平面，太陽照在他們的頭頂上。他們沐浴在陽光裏，等待著，也企望著。